Journal Secret

Une histoire entre sœurs

Geneviève Senger ────────────────

Geneviève Senger est née en Alsace, où elle vit toujours. Mais les mots sont pour elle sa vraie demeure et elle compte bien les habiter jusqu'au bout de son existence. Elle écrit depuis une dizaine d'années, mais aime rappeler qu'elle a commencé à l'âge de six ans, en entrant à l'école, où elle a appris l'essentiel : lire et tracer les mots sur le papier. Elle a publié de nombreux romans pour la jeunesse, chez Rageot (coll. «Cascade»), Casterman, Bayard… et pour les adultes *Le Cigogneau*, chez Flammarion. Elle travaille aussi régulièrement pour le magazine *Côté femme*.

──────────────────

Une histoire de sœurs : amies ou ennemies ?

« La famille, l'amour et la haine ont toujours été des sources d'inspiration et on les retrouve dans tous mes romans. Quand le responsable de J'ai lu Jeunesse m'a demandé si j'avais envie d'écrire un "Journal Secret", je venais justement de publier dans un magazine féminin une longue nouvelle où il était question de deux sœurs qui s'aiment, se détestent et ne parviennent pas à mettre de mots sur leur souffrance. J'ai eu le désir de reprendre cette idée, mais, dans ce journal, vous verrez que cette "histoire de sœurs" évolue et se transforme grâce au pouvoir des mots. »

GENEVIÈVE SENGER

Journal Secret

Une histoire entre sœurs

Geneviève Senger

Dimanche 1er septembre

Tout va mal. Je viens de rentrer de La Baule après des vacances stupides (oui, stupides est le mot juste), et voilà qu'à peine arrivée chez moi je tombe sur une lettre de Pauline. J'ai tout de suite reconnu son écriture en pattes de mouche et j'ai eu comme un pressentiment. Le pressentiment d'une énorme catastrophe. Je ne m'étais pas trompée : Pauline a déménagé pendant mon absence. Son père, qui était au chômage, a obtenu un emploi dans le Sud et toute la famille suit le mouvement. « Ça s'est fait si vite, m'écrit-elle, que je n'ai même pas encore eu le temps de réaliser. »

Moi, je réalise que je perds ma meilleure amie et que je serai seule à la rentrée. Et la rentrée, c'est dans quatre jours. La 3e sans les rires de Pauline, ça va être infernal. La dernière année de collège en plus ! Je n'y survivrai pas.

Pour ne rien arranger, Agathe nous a annoncé au mois de juin qu'elle avait décidé de mettre ses études entre parenthèses et de partir pour la Nouvelle-Calédonie. Elle y a décroché un boulot d'agent de service dans un hôpital de Nouméa. La tête des parents! J'ai cru que papa allait s'étouffer, et maman a pris son air de victime qui m'énerve tellement, genre «regardez-moi, pauvre mère que sa fille aînée abandonne pour aller vivre chez les sauvages». Papa a bien essayé de la faire changer d'avis, mais Agathe est restée campée sur sa décision. Il a fini par soupirer: «Appelons ça une année sabbatique et espérons que tu retrouveras la raison au plus vite.» Pour lui, retrouver la raison, c'est retourner à la fac et poursuivre les études de médecine qu'elle avait si bien commencées. Comme s'il n'y avait que la médecine, la maladie et les médicaments dans la vie! Bien sûr, il est pharmacien, et dans sa boutique il ne rencontre que des gens qui se plaignent de leur santé, de leur quotidien, et du temps qu'il fait. Je comprends qu'Agathe ait eu envie d'échapper à ça.

Résultat: ma grande sœur m'abandonne, ma meilleure amie me laisse tomber. Je n'ai plus qu'Océane, qui n'a pas l'air affectée de tout ça. Elle doit être insensible. Ou alors elle se moque complètement d'Agathe, qui est pourtant sa sœur à elle aussi.

Est-ce que je serais plus attachée à Agathe qu'elle ne l'est? Je dois reconnaître qu'elles s'entendaient plutôt bien, surtout depuis qu'Agathe a quitté la maison pour vivre en studio. On se retrouvait toutes les trois dans ses 25 mètres carrés et elle nous faisait des crêpes en nous racontant ses copains de fac qui étaient plus tordus les uns que les autres. Quand j'y pense, lorsque nous étions ensemble, les trois sœurs, nous ne nous disputions pas, Océane et moi.

Peut-être parce que Agathe était entre nous ? Ou parce que nous étions hors de la maison ? En terrain neutre, en quelque sorte. On était de vraies sœurs, quoi.

Alors que maintenant… On peut dire que la situation dégénère de jour en jour. À La Baule, c'était devenu infernal vers la fin des vacances, à tel point que maman a été ravie de faire les valises. Moi aussi ! «Ouf, ouf, ouf, me suis-je dit, à Strasbourg nous serons deux, Pauline et moi, et à deux, on est plus forts.» J'étais loin de me douter de la lettre qui m'attendait.

«Je t'envoie cette lettre chez toi à Strasbourg, conclut Pauline, pour ne pas gâcher tes vacances.» La pauvre, elle n'a pas eu besoin de me gâcher mes vacances, Océane s'en est chargée. Pour m'empoisonner l'existence, elle est championne. Les rares moments où elle n'était pas sur mon dos à me débiter ses gentillesses, je me sentais revivre. Et maman qui ose dire qu'au moins elle n'est pas indifférente, que finalement elle s'intéresse à moi ! Franchement, je préférerais qu'elle m'ignore. Ou mieux, qu'elle se comporte en vraie sœur, qu'elle me parle au lieu de me crier dessus, qu'elle me sourie au lieu de me faire des grimaces, qu'elle m'aide à réviser les maths (mon point faible) au lieu de prétendre que je suis nulle. Mais il ne faut pas rêver ! Elle me déteste et ce n'est pas près de s'arranger.

Tout est calme dans la maison. Ma mère est en train de déballer les valises, et je parie qu'Océane envoie un mail à Sami. Même à La Baule où on n'a pas d'ordinateur, elle a déniché un cybercafé pour assouvir sa passion. Moi, j'ai horreur de ces engins, je préfère écrire sur un vrai cahier. Je ne suis peut-être pas très moderne, mais j'aime le papier, l'encre, le grattement de la plume sur la feuille blanche, et le silence des mots. Cet été, j'ai écrit deux fois par semaine à Sami. Le pauvre est resté coincé à Strasbourg pendant la canicule (45 degrés à l'ombre) alors que nous, on avait l'océan devant nos fenêtres, presque à portée de main.

Océane et moi, pour une fois on était d'accord, avions suggéré aux parents de l'inviter, d'autant que la chambre d'Agathe était disponible, mais ils ont inventé des raisons débiles : « S'il lui arrivait un accident, on serait responsables, et on n'a pas l'habitude d'avoir un garçon à la maison, et les vacances c'est fait pour être en famille… »

Résultat : on s'est ennuyées à mourir sur la plus belle plage du monde, sable fin à gogo et vagues bleues, Océane a attrapé des coups de soleil, puisqu'elle n'avait personne pour lui tartiner le dos d'écran total. Moi, évidemment, je ne faisais pas l'affaire (se laisser toucher par moi insupporte mademoiselle), maman préfère lire dans sa chaise longue sur la terrasse et papa passe son temps à la pêche en mer avec le voisin.

Donc, Océane a été obligée de se faire soigner par papa, à grand renfort de Biafine, et elle en a profité pour me lancer des amabilités dans le genre : « Toi, avec ta peau de lézard qu'on a laissé au soleil, tu ne risques pas de rougir, d'ailleurs ce n'est même pas une peau, c'est une carapace. » J'ai rétorqué que tout le monde ne peut pas être blonde avec des yeux de lapin albinos. Bien sûr, elle n'a pas apprécié et elle s'est mise à hurler que je devais dégager, et maman a soupiré : « Pourquoi mes filles ne s'entendent-elles pas ? Mon frère et moi, on s'adorait ! »

Si Océane était un garçon, je l'adorerais peut-être aussi. Mais ce n'est qu'une grande perche blonde qui mesure 1 mètre 70. Et moi, je ne fais que 1 mètre 60. En plus, elle affiche 1 kilo de moins que moi sur la balance. Elle est plus jeune (de onze mois, je suis née en janvier et elle en décembre de la même année), plus jolie, plus grande, plus blonde, plus mince que moi. Je me demande qui pourrait trouver ça juste. Je suis tellement triste que j'ai presque envie d'écouter Barbara. Ou Jacques Brel. Pour pleurer. Quand je pleure, j'oublie presque que ma sœur me déteste. Qu'elle aurait préféré que je ne naisse pas. Un jour, elle me l'a carrément dit, ou plutôt jeté à la figure, comme une pierre tranchante. Alors que c'est moi qui suis née la première ! Et malgré tout, je la dérange. Je ne comprends pas, je ne comprends pas, je ne comprends pas. Et puis, le plus horrible, c'est qu'il y a des jours où je me surprends moi aussi à la détester.

Alors que ce n'est pas vrai. La vérité, c'est que je l'aime. Et que je ne peux pas le lui dire car elle ne me croirait pas. Elle est persuadée du contraire.

J'allais justement me lever pour insérer un CD dans mon lecteur, lorsque j'ai entendu la voix de ma mère : «Viens au moins t'occuper de ta valise !» me crie-t-elle depuis le rez-de-chaussée. C'est marrant, elle n'exige rien d'Océane qui peut rester tranquillement dans sa chambre, elle, à pianoter sur son cher ordinateur. Ce sont toujours les mêmes qui bossent dans cette maison. Marre. Je voudrais être Agathe pour pouvoir partir... Peut-être qu'alors ils m'apprécieraient...

Mais si je partais, dans l'état de guerre où nous sommes, ça ressemblerait à une défaite. Et je n'ai pas envie de laisser croire à Océane qu'elle a gagné.

Si seulement j'avais un frère... Le malheur, dans les familles, c'est qu'on ne peut pas en changer.

Et Agathe et Pauline qui ne sont pas là. Et les parents qui s'en moquent. «Ce sont vos affaires, débrouillez-vous», disent-ils. Ou encore : «Vous devez apprendre à gérer vos conflits.»

Mon seul conflit, c'est ma sœur. J'aimerais qu'on m'explique comment je peux la gérer.

Mardi 3 septembre

Aujourd'hui, c'est la rentrée pour les 6ᵉ. Les pauvres ! Je me souviens de ma première année au collège, il y a trois ans, j'étais morte de peur et pourtant j'étais avec Océane que je me coltine de classe en classe depuis la maternelle. Pour être juste, elle aussi est obligée de me supporter. Elle ne se prive pas de me le faire sentir, d'ailleurs ! Justement, hier soir, à table, elle s'est mise à soupirer, de gros soupirs bien appuyés, et papa n'a pas manqué de demander à sa fifille ce qu'elle avait. Elle a trituré un moment ses petits pois dans l'assiette, on mangeait de la paella, et finalement elle s'est décidée à répondre qu'elle en avait marre de l'école et qu'elle n'était pas sûre de vouloir entrer au lycée l'année prochaine. J'ai cru que papa allait se mettre à rugir. Comme un lion en cage qui croit que l'on se moque de lui de l'autre côté de la grille. C'est l'impression qu'il m'a donnée en tout cas. Pourtant, Océane avait un air très sérieux, et je l'ai admirée d'oser défier papa, qui est devenu très susceptible sur le chapitre des études depuis le départ de sa fille aînée. Alors, nous sommes priées, Océane et moi, de lui faire honneur. Dans sa tête, ça signifie : une de vous deux ou encore mieux toutes les deux, mes chéries, vous ferez pharmacie et vous reprendrez l'officine, tout est prêt pour vous accueillir, j'ai besoin de vous, mes chéries. Le problème, c'est que ni Océane ni moi n'avons envie de nous pencher sur les fioles et les pilules. Océane, parce qu'elle a le virus de l'informatique (elle cherche d'ailleurs à en créer, des virus, d'après ce que j'ai compris en écoutant ses conversations avec Sami qui lui aussi est fondu d'Internet) et moi, parce que je ne sais pas ce que je ferai plus tard. Mais ce qui est sûr, c'est que je ne veux pas croupir derrière un comptoir à distribuer des potions magiques. Mon père déclare que lui non plus ça ne l'enchante pas, mais qu'il faut bien gagner sa vie et celle de sa famille. Et grâce à son officine, il peut nous offrir le meilleur. Autrement dit, ça rapporte gros. Plus que les piqûres de maman. D'ailleurs, papa n'arrête pas de répéter qu'elle ferait mieux de liquider son cabinet d'infirmière et de venir travailler avec lui. Mais jusqu'à présent elle a toujours refusé. Elle doit aimer son métier quoi qu'elle en dise. Ce qui est chouette, c'est qu'elle ne nous tanne pas pour qu'on devienne infirmières. Non, elle avoue que c'est un métier très usant, mal payé et mal considéré. Ce qui ne l'empêche pas de le garder !

Bref, Océane, malgré ses brillants résultats (elle est toujours en tête de classe dans toutes les matières), trouve que le collège, c'est nul, que les profs sont soit ennuyeux, soit incompétents, et aimerait mieux étudier à la maison, devant son ordinateur qui est le meilleur enseignant qui puisse exister. Bien sûr, papa s'est hâté de lui rappeler que l'école était obligatoire jusqu'à 16 ans, et elle a eu le culot de répliquer : «Ce n'est pas l'école qui est obligatoire, c'est l'instruction, et j'ai pensé à tout, je pourrais m'inscrire au CNED, suivre des cours par correspondance jusqu'au bac.» Là, papa s'est remis à respirer normalement : «bac», pour lui, c'est un mot magique, le sésame qui ouvre les portes de la fac.

«Et je ne perdrais pas mon temps au lycée, a repris Océane. Parce que de toute façon, a-t-elle ajouté d'un ton convaincu (et je dois avouer convaincant), je sais ce que je veux faire plus tard : créer de nouveaux logiciels, trouver des nouveaux antivirus, inventer, quoi. Chercher. Je serai dans le domaine de l'informatique ce qu'Einstein a été dans celui des maths.»

J'étais épatée. Elle sait déjà ce qu'elle veut ! Moi, je ne sais pas, mais alors pas du tout. Je suis à peine moyenne en tout, à part en français et en histoire où j'ai souvent de bonnes notes et des appréciations élogieuses, sauf que l'année dernière ma prof de français estimait que j'étais trop originale. En fait, rien ne m'attire en particulier.

Océane a de la chance d'avoir une passion! Elle a toutes les chances, depuis toujours, depuis sa naissance. D'abord, elle est blonde, avec des mensurations de mannequin, extra-longue, superfine, et elle a des yeux bleu pâle, couleur myosotis, pour compléter le tableau. «Une beauté radieuse», comme s'extasie papa. De moi, il ne dit rien. Évidemment, je suis brune, comme lui, avec des yeux marron, comme lui. Que du banal. Mes deux sœurs ressemblent à maman, en mieux. Papa prétend qu'elle était la plus jolie fille de Strasbourg et qu'il l'avait repérée dès le lycée. Mais qu'il n'osait pas s'approcher d'elle, tant elle l'éblouissait de sa blonde beauté! Il n'y a pas de risque qu'on n'ose pas s'approcher de moi! J'ai beau être tout à fait accessible, ce n'est pas pour autant que les garçons s'agglutinent autour de ma petite personne. J'ai l'impression que même Sami aurait des préférences pour Océane. Il y a des regards qui ne trompent pas, comme hier, quand il est venu nous dire bonjour, eh bien, c'est elle qu'il a d'abord embrassée, j'ai bien noté. Et puis ils partagent une passion, tandis que moi je ne comprends rien aux miracles d'Internet ni aux magies des virus et autres virtualités.

Bon, où en étais-je? À oui, hier soir, au dîner, quand Océane a fait éclater sa bombe, que papa a cru désamorcer en avançant d'un ton doucereux: «Et tes copains et copines, alors? Tu ne pourras plus les voir autant... Et Sami?»

Océane a eu son sourire mortel, pâle et mortel. Elle a répondu calmement que Sami non plus ne voulait plus aller en classe, qu'il était comme elle, que sa mère était d'accord pour les cours du CNED, et qu'elle trouvait ça très bien.

Papa a failli s'étrangler avec son bout de pain, et maman a volé à la rescousse de son mari en rappelant à sa fille qu'elle avait de toute façon encore une année de collège à faire et qu'on aviserait plus tard pour la suite des événements.

Papa, qui avait repris ses esprits, a ajouté : « Oui, et je ne vois pas pourquoi tu ferais comme Sami, tu n'as pas à imiter les autres, surtout quand ce ne sont pas de bons exemples ; il faut toujours se méfier des mauvais exemples. »

Là, il y allait un peu fort, et je m'en suis mêlée en disant que Sami était très sympa et qu'on le connaissait depuis la maternelle. Maman a renchéri que c'était un gentil garçon, très serviable, et qu'il aidait beaucoup sa mère qui est seule et qui a du mérite. Papa s'est tu. Mais j'ai bien senti qu'Océane avait été blessée par la remarque du mauvais exemple à ne pas suivre. J'aurais voulu la consoler, mais au même moment, elle s'est levée de table en me lançant : « Alors, il va falloir que je te supporte jusqu'en terminale, moi qui espérais pouvoir être enfin tranquille ! »

J'en suis restée bouche bée, à la regarder s'éloigner, longue et gracieuse dans sa robe bleue. Papa a murmuré : « Charmant ! Il n'y a plus qu'à espérer que ça s'arrange avec l'âge ! » Maman a embrayé sur l'âge bête où l'adolescent se cherche, et erre, et souffre... Papa a soupiré : « Alors vivement qu'elle se trouve ! Heureusement que toi, Laura, tu es plus facile à vivre que tes sœurs ! La première au bout du monde, une autre qui ne rêve que de virtuel... Toi au moins, tu es raisonnable. »

Facile à vivre. Raisonnable. Évidemment, vu de l'extérieur, je ne pose pas de problème : je ne parle pas beaucoup, j'observe, j'écoute. Puis j'écris ce que je vois et ce que j'entends. Une façon de ne pas oublier. Et puis quand j'écris, je me sens bien et, au fil des phrases, il me semble que je comprends mieux ce qui se passe en moi, autour de moi, comme si l'écriture me permettait de décoder. Mais bon, je n'ai que 14 ans, et je ne comprends pas tout. Océane, par exemple, demeure un mystère pour moi. Quand je pense à sa sortie théâtrale après le dîner et aux mots qu'elle m'a jetés à la figure, comme si j'étais responsable ! Comme si c'était moi qui l'empêchais de suivre les cours du CNED en compagnie de son cher Sami !

Sami. Cette histoire de cours par correspondance prouve qu'ils complotent ensemble, et donc qu'ils m'excluent. C'est la première fois que ça arrive. Jusqu'à présent, du temps où Pauline vivait à Strasbourg, on était quatre, on faisait presque tout ensemble – sauf leurs jeux sur l'ordinateur –, piscine, jogging au parc de l'Orangerie, VTT sur la piste le long de l'Ill, ciné, etc. «La bande des quatre», comme nous appelait maman. Mais maintenant, je sens que ça va changer. D'ailleurs, cet après-midi, ils sont sortis sans m'attendre, ils ont profité que j'étais sous la douche pour se carapater en douce.

Et moi je suis seule. À poireauter dans ma chambre en me posant des foules de questions. D'abord, la plus importante : Où sont-ils ? J'ai vérifié : le VTT d'Océane est à sa place dans le garage, ainsi que ses rollers ; ses deux maillots de bain sont rangés sur son étagère. J'en déduis qu'ils sont allés au cinéma. Sans moi. Je suis si catastrophée que j'ai du mal à mettre de l'ordre dans mes idées et encore plus à les exprimer sur papier. Je n'ai même pas le courage de me relire. Alors, j'avance sur la feuille comme une tortue qui espère atteindre sa destination et qui, sur son chemin, découvre de temps en temps une feuille de salade pour se consoler.

Ah ! Ça y est ! je me souviens de la réflexion de Sami hier soir : «À demain, et prépare tes disquettes, on vérifiera ton hypothèse sur Jojo.» Jojo, c'est le doux nom qu'il donne à son bien-aimé ordinateur pour lequel il a économisé pendant des mois, voire des années. «Jojo a changé ma vie», déclare-t-il de son air sérieux. Sami est un garçon sérieux, le plus sérieux que je connaisse. Et je ne comprends pas que papa ose prétendre que c'est un mauvais exemple! Sami est toujours poli avec les profs, c'est un élève excellent comme le soulignent les appréciations dans ses relevés de notes. «Il est promis à un avenir brillant», selon maman, qui ajoute: «Si sa mère a de quoi financer ses études ou s'il parvient à décrocher une bonne bourse...» Sami est tellement sérieux que parfois il en devient triste, comme s'il portait le poids du monde sur son dos! Il s'occupe de sa mère qui est souvent dépressive et elle a de quoi: sa famille était autrefois très riche et possédait un palais sur les rives du Bosphore, mais maintenant elle est dispersée un peu partout en Europe et le palais achève de tomber en ruine dans les eaux. La mère de Sami survit en donnant des cours d'alphabétisation dans les associations où elle aide les femmes d'origine étrangère à apprendre le français. Mais ce n'est pas un boulot bien payé, elle est la seule permanente de l'association et elle galère pour boucler ses fins de mois.

Nous, on ne galère pas, je me rends bien compte de la différence. Papa aussi, car il dit que la mère de Sami ferait mieux de trouver un emploi dans le commercial, qu'avec sa prestance et son élégance naturelle, elle gagnerait le triple. Il dit aussi que le social ne paie pas! Mais Sami assure qu'elle aime ce qu'elle fait, qu'elle s'y sent utile, et qu'elle n'a pas envie de changer de vie pour quelques euros supplémentaires, au risque d'y perdre son âme. Apparemment, il l'approuve, et pourtant, c'est lui qui en pâtit le plus, puisqu'ils ne partent pratiquement jamais en vacances, et qu'elle n'a même pas les moyens de payer une auto.

Donc, pour récapituler, Océane et Sami ne sont certainement pas au cinéma, mais en train de jouer sur leur cher Jojo. Je préfère ça. Je me sens un peu mieux, enfin un peu moins mal. Car je n'oublie pas une seconde que Pauline m'a quittée et que ma sœur me pourrit la vie.

Je me demande ce que devient Agathe. Dans son dernier mail, elle écrit qu'elle va bien, que son boulot à l'hôpital lui convient parfaitement, que là au moins elle baigne dans la réalité des choses. Je ne sais pas trop ce qu'elle appelle «la réalité des choses», mais, à mon avis, ça ne doit pas être rigolo tous les jours de nettoyer des couloirs d'hôpital et de récurer des lavabos. Enfin, c'est son choix. Mais je suis persuadée qu'il y a anguille sous roche. Pourquoi est-elle partie au bout du monde? J'ai regardé sur la mappemonde: la Nouvelle-Calédonie, c'est ce qu'il y a de plus loin de l'Alsace… Pourquoi? Pourquoi? Je suis bien décidée à découvrir la vérité.

J'entends la voix d'Océane dans le couloir et des portes qui claquent. Je vais voir ce qu'ils ont mijoté tous les deux. Sûrement une crasse. Peut-être pas, finalement, car Sami est mille fois mieux que ma chère sœur.

Si je pouvais, je le choisirais comme frère.

Vendredi 6 septembre

Ça ne s'arrange pas. Hier, c'était la rentrée des classes, et le soir j'étais tellement fatiguée (Ça commence bien!), que je n'ai même pas eu le courage d'écrire un mot dans mon journal. Je vais essayer de me rattraper ce soir.

Quand je pense qu'on en a encore pris pour un an, ou tout au moins pour neuf mois… Cours, profs, devoirs, et rebelote le lendemain, tous les jours, même le mercredi matin et le samedi jusqu'à 11 heures. Aucune pitié! Moi qui aime dormir jusqu'à 9 heures tous les jours, sauf le dimanche, je serai obligée, contrainte et forcée, de me lever aux aurores, même en hiver, quand il fait encore nuit et qu'il gèle dehors. À 7 heures du matin, poser un pied par terre, se mettre sur ses deux jambes, ça demande un effort fou. Ensuite, marcher jusqu'à la salle de bains en espérant arriver avant Océane qui met un temps incroyable à s'habiller (on doit malheureusement partager la même salle de bains, l'autre est réservée aux parents). Puis se mettre à table, et le matin je n'ai pas faim, mais je dois ingurgiter mes céréales à cause de maman qui prétend que le petit déjeuner est le repas

20

le plus important de la journée et que si j'allais au collège le ventre vide, je m'évanouirais au bout d'une heure de cours. Je demande à voir. Sauf que je ne verrai pas car ma mère reste à côté de moi jusqu'à ce que j'aie ingurgité le contenu de ce foutu bol. Océane, elle, avale le sien sans y penser, elle a toujours faim, la chance ! Elle complète même par un méga jus d'oranges et une tartine de miel. Elle me donne la nausée. En plus, elle a beau manger comme un ogre, elle ne prend pas un gramme alors que moi je me trouve plutôt rondelette. Enfin, pas de panique, j'ai vérifié sur une courbe poids-taille, je suis encore dans les normes.

Après le petit déjeuner, papa nous conduit au collège et maman file vers son cher cabinet. La routine quoi. On pourrait y aller à pied, c'est à dix minutes à peine de la maison, en longeant les canaux, mais Océane préfère être conduite en auto.

Hier, et aujourd'hui à nouveau, dès qu'elle a aperçu Sami devant la grille, qui visiblement attendait, elle s'est précipitée vers lui, et le visage de Sami s'est éclairé.

Je me suis sentie de trop, alors je les ai laissés seuls et j'ai marché vers un groupe de filles et de garçons qui étaient dans ma classe l'année dernière. Ils parlaient de leurs vacances «géniales et cool» dans des camps d'ados à faire de la voile ou de la spéléo ou encore du canyoning, et je me suis demandé si j'aimerais cette formule. Pour nous, les vacances se passent obligatoirement à La Baule dans la villa qui appartenait à ma grand-mère et où mon père venait déjà lorsqu'il avait 3 ans. Moi aussi j'aimais ça, mais maintenant ça suffit, j'ai envie d'autre chose, sauf que je ne sais pas de quoi. De grands voyages peut-être…

Ils ont tous été étonnés quand je leur ai appris que Pauline avait déménagé. J'ai compris qu'elle n'avait écrit qu'à moi et ça m'a fait plaisir. En même temps, je me suis rendu *réellement* compte que j'avais perdu ma meilleure amie, ma seule amie, et que le collège sans elle serait invivable. J'ai eu envie de tourner le dos et de m'enfuir, mais la sonnerie a retenti. Le CPE a fait l'appel, et je me suis retrouvée, évidemment, dans la même 3ᵉ que ma sœur. Mais sans Sami. La tête d'Océane quand elle a réalisé qu'il était dans une autre classe! J'ai cru qu'elle allait faire un scandale. Mais elle a dû comprendre qu'il n'y avait rien à tenter car elle est restée sagement dans la file, et, comme les autres, elle est entrée en classe derrière notre prof principal, Mme Servan, qui va nous enseigner les lettres.

En préambule, la prof a déclaré qu'on ne ferait plus de dictées ni d'ennuyeux exercices de grammaire, cette matière étant censée être ingérée et digérée. Il y a eu des remous, elle a continué, imperturbable :

nous allons étudier la littérature, c'est-à-dire que nous allons lire. Parce que pour apprendre à aimer la littérature, il faut d'abord la découvrir. Et tout commence par la lecture.

Tous les élèves se sont tus. J'avais envie de rire. Océane scrutait l'arbre qu'on aperçoit au-delà de la fenêtre ouverte ; je parie qu'elle rêvait à Sami. Pour moi, lire était une bonne idée, mais, pendant la récré, je n'ai pas osé soutenir Mme Servan quand les autres l'ont dénigrée : « Qu'est-ce que c'est cette prof ! Lire ! C'est bon pour les mômes ! Moi d'abord, je ne lis que des BD ou des polars ou des magazines, mais pas des romans. Les romans, c'est pour les meufs. »

C'était la version garçons. La version filles, c'était : « Les classiques, c'est chiant, si encore on avait droit à des romans qui se passent de nos jours, mais les profs ne veulent que des trucs ringards où on ne pige rien. »

J'ai laissé dire. Je suis nulle. J'ai toujours peur de m'exprimer. Je n'ai pas eu le courage de défendre Maupassant que j'ai découvert l'an dernier et que j'adore. Il n'est ni ringard ni ennuyeux, et je comprends tout, bien que ça ne se déroule pas de nos jours. Il me semble qu'il raconte des sentiments qui sont éternels, alors qu'importe l'époque !

En maths, je sais déjà que ça ne se passera pas bien entre le prof et moi. Je l'ai eu en 6ᵉ et ça a été une catastrophe. Au point qu'Agathe avait eu pitié de moi.

Mais Agathe n'est plus là et je ne veux ni de l'aide d'Océane ni de celle de Sami. D'ailleurs, il ne me l'a pas proposée ! Et elle encore moins. Je ne me fais pas d'illusions, elle se moque complètement de mes problèmes. Elle, elle n'en a pas, de problèmes, alors forcément, elle ne peut même pas imaginer que je galère avec les maths. Son seul souci est que Sami se retrouve en 3ᵉ C et nous en B. À une lettre près, je lui ai fait remarquer. Elle a ricané : «Quel humour, je suis pliée!»

Moi aussi, je devrais être triste que Sami ne soit pas avec nous comme les autres années, mais bon, c'est la vie. Je regrette surtout l'absence de Pauline. L'année risque d'être gaie. Et j'ai beau regarder et écouter autour de moi, il n'y a personne qui m'intéresse, du moins suffisamment pour en faire un copain ou une copine. Personne. Océane non plus n'a pas d'amie. Elle n'a que Sami. Sami et moi. Moi, quand même, depuis la 6ᵉ j'avais Pauline. Et ça durerait encore si son père n'avait pas eu la bonne idée de l'emmener loin de Strasbourg. L'année dernière, Pauline et moi on s'asseyait l'une à côté de l'autre en classe, et Océane s'installait toujours à côté de Sami. Ce n'est que maintenant que je m'en rends compte... Sami, toujours Sami.

Je récapitule : Océane erre dans les couloirs du collège comme une âme en peine et ne retrouve le sourire que pendant les récrés. Sami idem.

Ils ne seraient pas un peu amoureux, ces deux-là ? Mais est-ce qu'on peut tomber amoureux de quelqu'un qu'on connaît depuis l'âge de 3 ans ? Moi, par exemple, je ne suis pas du tout amoureuse de Sami. Je le trouve mignon, craquant, mais je ne craque pas. Je l'aime bien, en copain. Mais c'est peut-être ça être amoureuse… Il faudrait que je questionne Agathe, mais elle est loin. Je déteste les mails et papa se plaint que le téléphone est trop cher. Demain, je lui écris, promis.

Maintenant que je me suis posé la question, elle n'arrête pas de tourner dans ma tête : Et si j'étais amoureuse de Sami ?

J'espère vraiment que je ne suis pas amoureuse de Sami.

Et s'il était amoureux de moi ? La tête d'Océane.

Ça lui ferait les pieds. Elle aurait au moins une raison d'être odieuse. De toute façon, j'ai le droit d'être amoureuse de qui je veux ! Et Sami aussi !

On se passera de sa bénédiction.

Dimanche 8 septembre

Je viens d'écrire à Agathe et, dans ma lettre, j'ai glissé que je croyais être amoureuse mais que je n'étais pas sûre de moi. Vu que je n'y connais rien. Et que c'est la première fois. J'ai hâte de lire sa réponse… Elle, elle a sûrement déjà été amoureuse, elle a presque 20 ans. D'ailleurs, je me souviens d'un garçon que j'ai rencontré plusieurs fois chez elle, un certain Gaétan. Je me demande s'il est toujours à Strasbourg… Je crois également me souvenir qu'il faisait des études de médecine… Comme elle.

Et s'il était parti lui aussi en Nouvelle-Calédonie ? Ça expliquerait tout. Il faudra que je mène ma petite enquête.

J'espère que les parents n'auront pas la bonne idée de nous emmener en balade aujourd'hui sous prétexte que c'est dimanche et qu'il faut s'aérer en famille. Je ne tiens pas à supporter l'humour aigre-doux de ma chère sœur qui en veut aux profs, aux élèves (comme s'ils y étaient pour quelque chose) et au monde entier de l'avoir séparée de Sami. Elle promène partout un air misérable qui signifie : regardez comme je suis seule !

Comme si moi, je ne l'étais pas, seule ! Et encore plus qu'elle car, aux récrés et après la classe, elle peut le retrouver, son bien-aimé. Ils ne s'en privent pas d'ailleurs, et tout le monde au collège a compris qu'ils sont amoureux.

Donc ils sont amoureux et moi pas.

Ils exagèrent. Me faire ça, à moi ! Je connais Sami depuis aussi longtemps qu'Océane, c'est aussi MON copain. Alors pourquoi elle et pas moi ? Pourquoi est-ce qu'il n'est pas amoureux de moi ? Est-ce qu'il ne m'aime pas parce que je ne suis pas aussi jolie qu'Océane? Pas aussi fine, pas aussi blonde? Ça me fait peur de penser des choses aussi terribles. Parce que ce n'est pas ma faute si je suis moins belle qu'elle. Si elle est blonde comme personne et moi brune comme tout le monde.

Je pourrais parler à ma mère, mais je n'ose pas. D'abord, tout ça ne la concerne pas. Ensuite, elle n'a plus 14 ans depuis longtemps, elle ne comprendrait pas. Elle me serinerait que j'ai le temps, que mon tour viendra plus tard. Je n'ai pas envie d'entendre ça. J'ai envie d'être amoureuse. Et qu'on soit amoureux de moi.

J'ai dû m'interrompre car Océane a toqué à ma porte. (J'ai enfin réussi à lui apprendre les bonnes manières.) Elle est venue m'annoncer qu'elle avait fait une demande pour aller en 3ᵉ C. Une demande écrite et officielle qu'elle a adressée au principal.

«J'ai préféré te prévenir, a-t-elle souligné, je ne veux pas que tu croies que je change de classe pour ne pas être avec toi.» J'ai répondu : «Le résultat est le même. En fait, tu préfères être avec Sami plutôt qu'avec moi.»

Elle n'a rien dit pendant un instant, elle a baissé ses admirables yeux myosotis, elle s'est mordu les lèvres puis elle a lâché : «Mais oui, Sami, je ne le vois qu'au collège, alors que je *vis* avec toi.» J'ai pris un air étonné.

«Ah oui? ai-je remarqué, tu vis avec moi? Disons que tu vis dans ta chambre avec ton ordinateur et moi dans la mienne!»

Elle s'est encore tue un long moment. J'ai cru que j'avais réussi à lui river son clou. Mais elle a fini par reprendre: «Je ne comprends pas que tu le prennes aussi mal, j'aimerais bien qu'on ne soit pas tout le temps en guerre... On est quand même sœurs, non?»

Je suis restée bouche bée. Parfois je me demande si elle est vraiment ma sœur, elle est si différente de moi. À l'intérieur et à l'extérieur. Deux mondes. Elle a encore tenté une approche, elle s'est avancée vers moi en murmurant: «Laura, ne monte pas sur tes grands chevaux, essaie de te mettre à ma place...»

Que je me mette à sa place! Je voudrais bien, moi, être blonde, et jolie, et brillante. Mais je ne suis que Laura, pas Océane. Et qu'elle ait préféré Sami à moi, ça me fait comme un trou dans la poitrine.

Elle a continué à élargir le trou en poursuivant: «De toute façon, tu ne peux pas comprendre, tu n'es pas amoureuse.»

Voilà, c'était dit. Elle est amoureuse. De Sami. Et c'est réciproque. Et moi, je compte pour rien. Je suis rien. Tout juste si j'existe.

«Sami et moi, on est amoureux, a-t-elle précisé comme si je n'avais pas saisi. Depuis cet été où l'on s'est beaucoup parlé par mail... On était tellement tristes d'être séparés qu'on a fini par réaliser que ce n'était plus comme avant, que quelque chose avait changé…

—Tu n'as même pas 14 ans, ai-je répondu, tu ne peux pas être amoureuse.»

C'était un argument débile, je le reconnais, mais sur le moment je n'ai rien trouvé de mieux.

Elle a haussé ses fines épaules et elle a dardé sur moi le bleu merveilleux de ses prunelles en susurrant : «Ma pauvre, tu n'y comprends vraiment rien! Tu es bien trop petite.»

Et sur ce, elle est sortie de ma chambre en adoptant sa pose théâtrale, exactement comme si elle quittait la scène, sauf que je n'ai pas applaudi.

«Bon débarras! j'ai lancé à travers la porte fermée, et change de classe si ça te chante! Au moins, je ne te verrai plus! Ça me fera des vacances.»

Mais, à mon avis, le principal ne lui donnera pas raison. Pour une fois que quelqu'un ne lui donnera pas raison, je suis bien contente. Il ne va pas s'amuser à refaire les classes pour satisfaire le caprice de mademoiselle qui veut pouvoir regarder son amoureux dans le blanc des yeux du matin au soir.

Mon dimanche est foutu. Je n'ai même plus envie de goûter au repas que papa est en train de nous concocter; comme tous les dimanches, c'est lui qui se met aux casseroles et en général ça mérite le détour. J'ai envie de me glisser sous ma couette et de dormir. Pour oublier que je suis seule et que ma sœur est amoureuse.

Et dire qu'Océane a onze mois de moins que moi ! Que je suis l'aînée et que c'est à moi d'être amoureuse la première. C'est logique, c'est l'évidence même. Je dois passer avant elle. Et voilà qu'elle a pris ma place ! Et elle est contente d'elle, en plus ! Comme si c'était normal. Elle ne doute de rien. C'est peut-être parce qu'elle l'aime vraiment ? On dit que l'amour donne des ailes. En tout cas, moi, je ne risque pas de m'envoler. Je n'aime personne et personne ne m'aime.

Jeudi 12 septembre

J'ai été tellement occupée ces derniers jours que je n'ai pas eu le temps de t'ouvrir, cher journal. D'abord, j'ai dû compléter les affaires de classe que les profs oublient chaque année de mentionner sur la liste du mois de juin, ensuite recouvrir les manuels, et pour finir trouver un pantalon d'automne car il pleut depuis trois jours sans répit. J'ai l'impression que cette année on devra renoncer à l'été indien, aux journées chaudes et rousses sous les platanes et les marronniers qui filtrent le soleil.

Donc, je suis sortie sous la pluie et le vent et Océane ne m'a même pas proposé de m'accompagner. Elle avait mieux à faire, évidemment. J'ai failli téléphoner à Ludivine, une fille de ma classe, mais au dernier moment, je me suis ravisée. J'étais aussi bien seule. Au moins, je pouvais reluquer les vitrines et fouiller dans les rayons sans que personne me tanne pour me décider. Maman m'avait donné deux billets de 50 euros et j'étais contente de me balader dans Strasbourg. Malgré le temps, je me suis offert deux boules tiramisu et forêt-noire chez le glacier près de la cathédrale. Je suis tombée sur Alexandra, une autre fille de la classe, et comme elle n'avait pas le moindre euro en poche je lui ai payé une glace. Elle a choisi chocolat et vanille, du classique. Elle m'a remerciée au moins trois fois tellement elle était contente. Et moi, j'étais encore plus contente qu'elle. Surtout qu'Alexandra ne roule pas sur l'or, d'après ce que j'ai cru comprendre, bien qu'elle ne m'en ait pas parlé franchement. Je suppose que ce sont des questions délicates dont on n'a pas forcément envie de parler. Moi, je n'ai pas de problème de ce côté-là. Mes parents sont plutôt généreux. Et comme ils ont de l'argent, ça ne leur pose pas de problème d'être généreux.

Alexandra et moi, avec nos glaces, on s'est assises au bord de l'Ill et on a regardé passer les «promène-couillons». C'est comme ça qu'Océane a baptisé les bateaux-mouches qui trimballent les touristes à travers les canaux. Bien sûr, on a discuté de nos profs et elle trouve comme moi Mme Servan plutôt sympa, avec plein d'initiatives, ce qui nous change agréablement de celle de l'année dernière qui ne parlait que de grammaire et de programme. Mme Servan a décidé qu'on étudierait un roman d'un auteur contemporain, c'est-à-dire vivant, et qu'à l'issue de cette lecture, on inviterait l'auteur dans notre classe. Cette proposition a fait l'unanimité. Même ceux qui n'aiment pas lire étaient d'accord. «Juste pour voir sa tête, et pour être peinard une paire d'heures», a déclaré Kevin qui ne brille que par sa paresse.

J'ai passé un moment agréable avec Alexandra qui est plutôt chouette, mais ce n'était pas comme avec Pauline à qui je pouvais me confier. Alexandra, ce qui l'intrigue, c'est la relation que j'ai avec ma sœur. Je lui ai assuré que tout baigne, qu'on s'entend super bien, mais je ne sais pas si j'ai réussi à la convaincre.

En tout cas, elle a soupiré qu'elle aussi adorerait avoir une sœur du même âge qu'elle. Elle est fille unique, d'une mère qui a peur de tout et élabore des scénarios catastrophe dès que sa fille tourne le dos. Et la pauvre Alexandra doit argumenter pendant des heures pour aller se balader en ville.

J'ai compati, mais au fond je m'en moquais, de ses problèmes. Je pensais à Pauline et à tout ce qu'on avait perdu. Je me suis dit qu'on n'irait plus jamais se promener au bord de l'Ill, qu'on ne lancerait plus de pain aux cygnes, qu'elle ne se pencherait plus en avant en feignant de basculer dans l'eau, qu'on ne rirait plus. D'ailleurs, je n'ai pas ri avec Alexandra. Elle ne me fait pas rire. J'aimerais tant qu'on me fasse rire. Pauline était très douée. Grâce à elle, j'avais pu oublier que ma sœur me déteste. Car elle me déteste, j'en ai la preuve. Hier soir, je lui ai demandé si elle avait reçu la réponse du principal et elle a aboyé :

« Qu'est-ce que ça peut te faire ? Toujours à me harceler ! Tu sais bien que c'est non, alors pourquoi tu insistes ? Si t'étais pas ma sœur, je ne te regarderais même pas tellement tu es stupide ! Bête et méchante, le pompon ! »

Elle a claqué la porte de sa chambre et je suis restée plantée dans le couloir. Quand j'ai repris mes esprits (J'ai mis un moment !), je lui ai lancé à travers la porte fermée : « Ça t'en bouche un coin, hein, qu'on te dise non ? Que veux-tu, le principal, lui, n'est pas sensible à ton charme blond ! Il ne te trouve pas irrésistible, lui. Il est normal, lui. Il a les yeux en face des trous, lui. »

Elle n'a pas répondu. Elle devait être en train d'échanger des mails avec Sami. Maintenant qu'ils sont séparés le jour, ils passent la nuit à rattraper les heures perdues. Pas étonnant qu'elle arbore le matin cette mine de déterrée ! Même papa s'en est rendu compte et lui a proposé des vitamines. Mais elle a haussé les épaules d'un air agressif et il n'a pas insisté.

En classe, rien de neuf, que du vieux. J'ai l'impression de les connaître tous depuis mille ans. Ils m'ennuient.

Au secours, Pauline, reviens !

Vendredi 13 septembre

Le 13 est un jour de chance. Surtout quand il tombe un vendredi. J'en ai la preuve : aujourd'hui, il s'est enfin passé quelque chose au collège. Quelque chose d'imprévu. Du nouveau. Ou plutôt des nouveaux. Deux, pour être précis. Dimitri et Anastasia. Ils sont russes. Leur père, qui est un grand maître en échecs, a décidé de venir s'installer à Strasbourg. C'est Dimitri qui s'est présenté le premier en déclarant avec un accent impayable : « On aime la France, et notre père joue aux échecs, alors on peut vivre n'importe où dans le monde et on a choisi Strasbourg plutôt que Paris, parce que c'est la capitale européenne et que mon père est tombé amoureux de cette ville à cause d'une photo qu'il a vue quand il était petit, alors il s'est juré qu'un jour il viendrait habiter ici. » Mme Servan rectifiait au fur et à mesure du discours, car en plus, il prononçait certains mots en anglais et on avait du mal à suivre, surtout moi qui ne suis pas très douée dans cette langue.

Anastasia, elle, est si timide qu'elle n'a pu débiter qu'une seule phrase, comme quoi elle était contente d'être en France parce qu'il y a moins de monde dans les rues qu'à Saint-Pétersbourg et qu'il y fait moins froid. Elle ne sait pas ce qui l'attend! Il est vrai que depuis aujourd'hui l'été semble revenu, les terrasses des bistrots sont archicombles et le moindre banc est pris d'assaut. Je trouve, moi, qu'il y a beaucoup de monde, les étudiants sont rentrés de vacances et les touristes arrivent par cars entiers. Sans compter les routards et leurs chiens et les SDF qui occupent les trottoirs. Quant au froid, elle verra bientôt que l'Alsace, ce n'est pas les Tropiques.

Anastasia a un très joli sourire et un air timide. Enfin une qui ne se croit pas tout permis sous prétexte qu'elle est mignonne! Car elle est très mignonne, blonde et fine avec des yeux pervenche, comme son frère. Mais elle n'en profite pas pour essayer d'épater tout le monde, elle se tient à l'écart, elle ne parle pas, mais j'ai réussi à croiser son regard à plusieurs reprises et, à chaque fois, elle m'a souri. Oh! un petit sourire fragile qui lui ressemble et qui m'a drôlement fait plaisir. Surtout que depuis que Pauline est partie, il n'y a plus personne qui me sourit. Sauf Alexandra, mais ça m'agace plutôt.

Anastasia a de la chance: elle a un frère qui l'adore. Ils ne se quittent pas. À la récré, il est allé lui

chercher un Coca et ils sont restés ensemble à le siro-
ter dans un coin de la cour. Je n'ai pas osé m'approcher de peur de les déranger. Personne, d'ailleurs, ne
s'est approché d'eux. Ils nous intimident. D'abord,
ils sont russes, et ensuite ils sont jumeaux. Ils n'ont
besoin de personne. Ils sont deux. À la vie à la mort.
Moi aussi j'aurais adoré avoir un jumeau ou une
jumelle. Au lieu de cette grande perche d'Océane qui
a fait de moi son souffre-douleur attitré. Heureusement pour elle que j'existe, sinon sur qui se défou-
lerait-elle ?

Assez parlé d'Océane. Elle n'est pas si intéressante
que ça. Je suis sûre qu'Anastasia l'est mille fois plus.
Mais si je veux le vérifier, il faudra que je fasse le premier pas, car elle est si timide qu'il peut s'écouler des
années avant qu'elle ne se décide à m'aborder. Mais
je ne sais pas quoi lui dire.

Les échecs, je n'y connais rien, je ne sais même
pas jouer. Et leur père est, paraît-il, un grand maître
célèbre dans le monde entier. Peut-être que ça pourrait être une entrée en matière, je vais leur demander s'ils savent jouer aux échecs... Je suis une idiote,
bien sûr qu'ils savent avec un père comme le leur. Je
devrais peut-être apprendre... Mais d'ici demain,
c'est compromis. Et puis, à la réflexion, ce n'est sûrement pas avec des échecs que je vais réussir à les épater. Voilà bien le problème : je n'ai rien pour les
épater, je suis banale. Je n'ai même pas de passion.

Je n'ai rien de palpitant à leur proposer. Peut-être que je pourrais leur faire visiter Strasbourg, puisqu'ils viennent de débarquer et que moi je connais ma ville sur le bout des doigts… Normal, j'y suis née ! C'est une idée à creuser.

Mercredi 18 septembre

Nous avons reçu un mail d'Agathe. Elle décrit la végétation luxuriante de l'île, les niaoulis, les lagons, on croirait un guide touristique ! Elle vante en long et en large les beautés de la Nouvelle-Calédonie qui, selon elle, constitue le dernier paradis sur terre. J'ai du mal à la croire. On dirait qu'elle cache quelque chose… Quelque chose de grave. Le ton du mail peut-être… Très froid. J'ai l'impression qu'elle est glacée. J'ai senti plein de larmes dans cette lettre. Les parents et Océane, eux, n'ont rien deviné du tout. Ils étaient plutôt contents qu'elle s'habitue si bien à la vie là-bas, et que son travail à la maternité lui plaise. Pour l'instant, elle ne s'occupe pas encore des bébés, mais elle espère que bientôt elle aura le droit de travailler dans la pouponnière. Elle dit qu'elle apprend la vie, maintenant qu'elle est confrontée à la réalité du travail. Papa a soupiré que ça le dépassait qu'on se contente du bas de l'échelle quand on a les capacités d'être en haut. J'ai répondu qu'elle n'avait peut-être pas envie pour l'instant d'être en haut de l'échelle, mais ils n'ont pas eu l'air convaincus.

Moi non plus je ne comprends pas pourquoi elle est partie si loin, mais je pense qu'elle doit avoir ses raisons. Et qu'elle a sûrement raison. Et qu'il faut lui faire confiance.

Mais il y a plus intéressant qu'Agathe et son pays de cocagne. Hier, j'ai osé m'approcher de Dimitri et d'Anastasia. Ils étaient en train de grignoter du chocolat, adossés contre le mur, ils ont souri quand ils m'ont vue et j'ai tout de suite su que ça se passerait bien. Ils ont le même sourire tous les deux, irrésistible. D'ailleurs, ils se ressemblent, même blondeur fine, mêmes yeux clairs, même peau hâlée. Sauf qu'Anastasia a les cheveux longs qui pendent sur ses épaules, et que Dimitri a noué les siens avec un élastique, ce qui lui donne un genre craquant. Il est le seul de la classe à avoir une queue-de-cheval. Les autres, c'est plutôt extra-court, avec des piques qui se dressent sur la tête. Mais c'est étrange, personne n'ose lui faire de réflexion. Tout le monde le respecte, sans qu'il ait besoin de jouer le gros dur. J'aime ça.

Donc, j'ai accepté un bout de chocolat et j'ai grignoté avec eux, adossée contre le mur. J'aurais voulu que ça dure des heures. J'étais bien. Simplement bien. Puis, au moment où la cloche a sonné, je leur ai vite demandé s'ils avaient envie que je leur fasse visiter la ville. «Une vraie visite, ai-je précisé, rien à voir avec les trucs pour touristes. Le musée d'Art moderne et contemporain pour admirer les toiles de Kandinsky, justement il y a une expo, et puis l'horloge de la cathédrale, et puis les ruelles de la vieille ville, et puis ma maison, ai-je ajouté dans un souffle, elle vaut le détour, c'est une des plus vieilles de la ville, elle a 300 ans. »

Ils ont tout de suite été d'accord ! Samedi, on se retrouve devant le collège à 14 heures et on aura l'après-midi pour bavarder. Je suis tout excitée. Océane ne sait rien. Ce n'est même pas la peine que je lui en glisse un mot, elle ne sera sûrement pas à la maison. Le samedi, depuis la rentrée, elle va à la piscine avec Sami. « Parce que nous ne faisons pas beaucoup de sport, a-t-elle expliqué, en dehors du collège, et que l'ordinateur ce n'est pas idéal pour se maintenir en forme. » Ils ne m'ont pas proposé de les accompagner. Dans un sens, ça tombe bien.

Je serais curieuse de savoir ce que Pauline penserait de Dimitri. Je suis sûre qu'elle le trouverait sympa. À cause de son sourire. Et de ses yeux si clairs qu'on a envie d'y plonger. Et de ne plus jamais en sortir.

Samedi 21 septembre

Je viens juste de rentrer chez moi et, par miracle, j'ai pu échapper aux questions de ma mère qui était en train de bavarder au téléphone avec une amie.

Tous les trois. Nous avons été tous les trois pendant quatre heures, je les ai comptées, de 14 à 18 heures. C'était génial.

Ils m'attendaient devant la grille du collège et on s'est fait la bise comme si on se connaissait depuis toujours. Je me suis dit que ça commençait bien. Puis, je les ai guidés à travers la ville, le grand tour, la cathédrale, la place Kleber en passant par les arcades. Anastasia est restée scotchée devant chaque vitrine, mais on a fini par arriver au musée. On a admiré les toiles de Kandinsky qui est un peintre russe (pour la couleur locale c'était plutôt raté !), mais l'art n'a pas de frontières. Dimi est tombé en arrêt devant un tableau de Gauguin, apparemment les îles ça le fait rêver. Moi, je préfère Kandinsky, je me jette dans ses couleurs chaudes et j'imagine ce que je veux. Ana, elle, a suffoqué d'amour pour la réplique du *Penseur* de Rodin. Je ne vois vraiment pas pourquoi elle apprécie cette statue ! Mais je suis mauvais juge, puisque je n'aime pas les sculptures.

Quand on a été rassasiés de peintures, je les ai invités à boire un pot à l'Art-café d'où l'on peut contempler la flèche de la cathédrale. Encapuchonnée, parce qu'elle est en travaux. Je leur ai raconté qu'à l'origine de la construction on avait prévu deux flèches, mais qu'au fil des ans le projet avait été modifié, faute d'argent. C'était à la grande époque des bâtisseurs de cathédrales où chaque ville et chaque évêque voulaient rivaliser en grandeur et en puissance. Et la hauteur des flèches était alors un signe de richesse.

De là-haut, on voyait aussi les fortifications sur le canal, les péniches devant l'écluse, et les touristes en train de photographier le musée depuis l'extérieur.

Heureusement, il faisait un temps d'été et on a pu flemmarder un moment sur la terrasse. Pour terminer, je les ai conduits à travers la Petite France, par le passage construit dans le barrage Vauban qui mène au dédale des canaux et des ruelles jusqu'à la maison des Tanneurs, la plus ancienne de Strasbourg (elle date du XVIe siècle), transformée en restaurant, puis nous sommes arrivés chez moi. Ils ont beaucoup apprécié la façade en colombages et j'étais très fière de pouvoir leur dire que j'avais toujours vécu là, puisque la maison appartient à ma famille depuis plusieurs générations. « C'est plein de charme », a murmuré Dimitri avec son accent craquant.

Je les ai fait monter jusqu'à ma chambre et ils se sont encore extasiés sur les poutres peintes en bleu, les pierres apparentes et le poêle en faïence, enfin tout ce que je ne remarque plus parce que je le vois tous les jours. Du coup, je ne voyais plus ma maison du même œil ! Ils ont trouvé ma chambre adorable, avec sa fenêtre qui donne sur le canal, et mon fouillis ne les a pas dérangés (mais j'avais un peu rangé, en prévision de leur visite).

Nous avons bu du Coca et de la limonade et j'ai souhaité de toutes mes forces que ma sœur ne se pointe pas. Je n'avais pas envie d'affronter ses réflexions. Je suis sûre qu'elle n'apprécierait pas que je me fasse de nouveaux amis. Eux, ne s'intéressent pas du tout à elle, ils ne m'ont pas parlé de ma sœur une seule fois.

C'est pour moi seule qu'ils sont venus. Moi, Laura.

Bien sûr, ils m'ont raconté, dans leur jargon mi-français mi-anglais, leur vie à Saint-Pétersbourg. J'ai appris que c'est une ville pleine de musées, et qu'ils habitaient tout près du plus grand d'entre eux, le musée de l'Ermitage. On y trouve des toiles de Van Gogh que les Français n'ont jamais vues parce qu'elles ne sortent jamais du musée. Les Russes ont trop peur de les perdre! Dimitri m'a expliqué qu'après la Seconde Guerre mondiale les Russes avaient gardé tous les tableaux volés en France par les nazis. Comme trésor de guerre, en quelque sorte. J'ai trouvé ça assez gonflé, mais Dimi prétend que ce n'est que justice, vu ce que le peuple russe a souffert. Et puis, les Russes ont été les premiers à arriver à Berlin. J'allais riposter lorsqu'il a ajouté: «Un jour, nous irons à l'Ermitage et je serai ton guide.»

Je m'imagine en train de me promener dans le palais à côté de lui, ou entre Anastasia et lui. Et comme ce sera le mois de juin (le mois où le soleil ne se couche pas), on ira boire un verre au bord de la

Neva, et la nuit ne tombera pas, et on restera dehors dans la lumière blanche jusqu'au matin. Puis, on ira dormir dans un des palais qui bordent le fleuve. Ce sera la vraie vie. Je n'aurai plus le temps de m'ennuyer. Je ne verrai que des belles choses. Je n'aurai plus besoin de me lever à 7 heures pour me rendre au collège. Je n'aurai plus de prof de maths pour me faire ingurgiter des équations qui ne servent à rien.

J'entends Océane qui entre dans sa chambre. Ouf, elle ne se doute de rien. Et je ne lui dirai pas un mot, je veux garder Dimi et Ana pour moi seule.

Au fait, ils vivent avec leur père, mais où est leur mère? Ils ne m'en ont jamais parlé!

Mercredi 25 septembre

Pour la mère de Dimitri et d'Anastasia, je sais tout. Elle est morte quand ils étaient petits. Ils ne se souviennent plus d'elle et, sans les photos et les films que leur père a tournés, ils ne connaîtraient même pas son visage.

C'est Anastasia qui m'en a parlé hier, pendant la récré. C'est venu tout naturellement, je lui expliquais que ma mère était infirmière, et j'ai vu qu'elle me regardait avec des yeux brillants. Un moment, elle a murmuré: «Tu as de la chance!» J'étais drôlement gênée. Elle a ajouté: «La mienne est morte, j'étais un baby. » Je ne savais pas quoi dire, alors j'ai posé ma main sur son bras et elle m'a souri. Puis Dimitri est venu vers nous en lançant son sac par-dessus son épaule, et elle s'est mise à raconter le film qu'ils sont allés voir hier soir, un dessin animé super-drôle, elle riait, et j'ai été contente pour elle.

Ce matin, j'ai reçu une lettre d'Agathe. Une longue lettre qui est arrivée par avion, qui a traversé les océans, pour finalement atterrir dans ma boîte aux lettres. Je l'ai gardée un instant dans les mains avant de l'ouvrir. Elle n'était adressée qu'à moi, et Océane n'a pas osé rouspéter. Je parie qu'elle reçoit des tonnes de mails.

Moi, je préfère les vraies lettres. Qui voyagent dans les airs, au fond des sacs.

Je l'ai lue, confortablement installée sur mon lit, éclairée par ma petite lampe de chevet qui répand une lumière rose. J'avais l'impression d'être avec Agathe, au pays des niaoulis et des lagons turquoise. Elle m'écrit : « Ma chère petite sœur, ne t'en fais pas, le jour où tu seras amoureuse, tu le sauras ! Ton intuition te guidera. L'amour, c'est un élan vers l'autre. Irrésistible ; d'ailleurs, pourquoi faudrait-il résister ? Bien sûr, ça risque aussi de faire mal… Mais c'est la vie ! La vie, c'est prendre des risques. »

J'ai replié la lettre en me disant que je n'étais pas amoureuse de Sami. Au fond, c'est tant mieux. Je devrais me battre contre Océane et franchement la guerre, ça suffit comme ça.

Si seulement elle ne s'amusait pas à m'en mettre plein la vue avec son Sami par-ci, Sami par-là ! À l'entendre, c'est Dieu en personne. Le super cerveau qui comprend tout, et surtout qui dit toujours amen. Il ne la contredit jamais, alors normal que ça marche. Bon, je reconnais qu'il est sympa, mais quand même ! Il n'est pas exceptionnel. Il n'est pas génial. Il est mignon, intelligent, gentil, mais c'est tout.

Je voudrais bien lui en boucher un coin. Qu'elle arrête son cinéma. Mais comment ? Je n'ai personne à exhiber, moi. Et puis il faudrait quelqu'un de vraiment extraordinaire. Quelqu'un qui dépasse Sami de plusieurs longueurs. Quelqu'un à côté de qui il ferait figure de nain. Mais qui ?

Je n'ai personne dans mes tiroirs. Et au collège encore moins. D'ailleurs, en classe, ce sont tous des mômes. Je l'imagine bien, pourtant, il serait blond et grand, mince bien sûr, et il aurait au moins trois ans de plus que moi. Il aurait tout pour plaire. Il serait en classe de terminale, sport-études par exemple, et il serait un des meilleurs espoirs de l'équipe de France de tennis.

Comment s'appelle-t-il ? Alexandre, ça lui irait comme un gant. Ou David. Allons pour David, des Alexandre il y en a plein le collège.

La tête de ma sœur cadette (oui cadette, même si elle veut me faire croire que c'est elle la plus grande, la plus intelligente, la plus dégourdie), lorsqu'elle apprendra l'existence de David! Son Sami ne fera pas le poids. Je la tiens, ma vengeance. C'est si simple que je me demande pourquoi je n'y ai pas pensé plus tôt.

Comment vais-je lui annoncer la nouvelle?

Jeudi 3 octobre

Cela s'est fait hier, simplement. Je n'ai même pas eu besoin de réfléchir.

Je croyais (à toi, journal, je ne mens jamais) qu'Océane était sortie avec Sami, hier après-midi, et je suis entrée dans sa chambre pour récupérer un manuel que je lui avais prêté. Je pousse la porte en pensant à ma leçon d'histoire, et que vois-je devant moi? Les deux tourtereaux serrés devant l'écran de l'ordinateur. Très près l'un de l'autre. Ils étaient tellement absorbés qu'ils ne m'ont pas entendue. J'ai voulu reculer mais à ce moment-là la porte a grincé et ils se sont retournés.

Sami a souri mais elle, elle s'est mise à vociférer que je n'avais pas le début du commencement du moindre sens du respect. Ni même de la politesse la plus élémentaire qui veut qu'on prévienne avant de pénétrer chez quelqu'un. J'étais si surprise que j'ai failli en perdre la voix. Comme au collège, quand le prof de maths m'interroge et que j'ai l'impression d'avoir oublié tous les chiffres. Soudain, j'ai pensé à David et le courage m'est revenu. Je l'ai laissée parler jusqu'au bout sans l'interrompre, puis lentement, doucement, je lui ai dit que je regrettais mon intrusion mais que je n'étais venue que pour me servir de l'ordinateur. Elle a bondi comme je m'y attendais, elle a demandé : «Pour quoi faire l'ordinateur, s'il te plaît?» J'ai déclaré d'un air détaché que c'était pour écrire à David. Elle a rétorqué : «Quel David? Je ne connais pas de David!» J'ai répondu : «Toi peut-être, mais moi si!» Je lui ai raconté tout ce que je sais de lui. Elle m'a coupée pour me demander où j'avais déniché cette huitième merveille du monde et là, j'avoue que j'ai eu une seconde de panique mais j'ai réussi à me maîtriser et j'ai dit, en essayant de prendre un ton dégagé : «Figure-toi que ce n'est pas la peine de surfer sur le web! Dehors, on rencontre aussi des gens. Même dans la rue. Même sur la piste cyclable.»

Elle n'a pas eu l'air trop étonnée. Finalement, avoir un pneu crevé, ça arrive. Et tomber sur un garçon magnifique qui vous aide à réparer, aussi. Tout ça, c'est la vie. J'ai eu de la chance. C'est bien ce qu'elle a conclu : «Tu as eu de la chance, tu aurais pu rester en rade avec ton vélo.»

Du coup, elle est sortie avec Sami pour me laisser me connecter en paix. J'étais à la fois contente et embêtée : j'ai tapoté sur les touches au cas où elle écouterait derrière la porte, et au bout de dix minutes j'ai quitté la pièce. Je les ai retrouvés dans la cuisine en train de se faire des méga tartines de Nutella. Océane m'a demandé si mon mail était parti, et je lui ai souri en acquiesçant de la tête. Elle a simplement fait remarquer qu'elle ignorait que j'étais devenue une internaute avertie et j'ai haussé les épaules : « C'est pas compliqué, et puis quand on veut, on peut ! Pour David je ferais n'importe quoi ! »

J'ai rêvé à David pendant tout le goûter. (Incroyable mais vrai, Océane m'a proposé de me joindre à eux.) Je me suis assise face à Sami, et nous avons passé un bon moment tous les trois à raconter des blagues et à glousser. Elle ne m'a plus posé de questions sur David. Heureusement, car j'aurais encore dû improviser ! Au risque de me contredire dans mes récits. Il faudra dorénavant que je me surveille sans répit : fine mouche comme elle est, elle sauterait sur la moindre erreur.

En tout cas, j'ai l'impression que mon David lui a fait de l'effet. L'effet d'une bombe. Elle a compris que « la petite », comme elle disait, a plus d'un tour dans son sac et elle n'a pas encore tout vu. Je suis sûre que sans David elle n'aurait pas eu l'idée de m'inviter à goûter avec eux. Elle l'a fait parce que je l'ai épatée, moi, la moche qu'aucun garçon ne regarde jamais. Eh bien, même les brunes rondelettes aux yeux noisette et à la taille pas mannequin peuvent se faire remarquer.

Et David peut même tomber amoureux de moi. Je ne vois pas pourquoi il ne tomberait pas amoureux.

Sauf que tout ça ne va pas régler mes problèmes en classe. J'ai des notes catastrophiques. Je vais sans doute redoubler cette foutue 3e. Au moins je ne serai plus avec Océane.

C'est peut-être ça la solution ? Elle se rendrait compte que je lui manque… Il y a des jours où je me dis qu'elle m'aime quand même, comme pendant le goûter où elle était adorable. Si seulement elle me ressemblait un peu plus, si seulement elle était un peu moins jolie, un peu moins blonde, un peu moins brillante… Peut-être qu'alors ça marcherait mieux…

De toute façon, dans la tête de tout le monde, je suis la nulle, et Océane a le beau rôle. Moi, je rame pour atteindre la moyenne et elle, elle décroche les félicitations, les doigts dans le nez. Pourquoi a-t-elle tout et moi rien ?

Enfin, consolation, je ne suis pas la seule à avoir des problèmes. Dimi et Ana aussi en ont, avec le français. À l'oral et à l'écrit. Ils ne peuvent pas écrire une ligne sans faire une faute à chaque mot. Par contre, en maths et en anglais, ils sont un peu plus forts qu'Océane. Ce qui me fait plaisir. (Elle, elle s'en fout, enfin c'est ce qu'elle prétend.)

Ils m'ont invitée chez eux samedi prochain. Pour la première fois. C'est un peu comme si j'allais en Russie. Je suis folle de joie.

Dimanche 6 octobre

Enfin un peu de temps à moi seule! Je n'ai pas arrêté ces derniers jours. Je vais finir par ressembler aux parents qui sont «surbookés» (c'est un mot que je déteste, mais c'est celui qu'ils emploient à tout bout de champ sans se rendre compte à quel point il est moche), avec des agendas bourrés et des horaires impossibles, toujours en train de jongler entre le boulot et les réunions. (Mon père est le président du Lion's club, et ma mère, en plus de son cabinet, assure des permanences au centre de planning familial.)

Donc, pour débuter, la prof de français a choisi le roman que nous allons lire ce trimestre. Il s'agit de *Génie la folle*, d'un auteur qui s'appelle Inès Cagnati. Je n'avais jamais entendu parler d'elle et les autres non plus, et Guillaume le fanfaron s'est cru obligé de faire de l'esprit en proclamant qu'un écrivain inconnu n'était pas intéressant, car s'il était intéressant on le connaîtrait, forcément. Mme Servan s'est hâtée de le remettre à sa place, d'une manière très simple, en l'interrogeant sur les auteurs qu'il connaissait. Il s'est mis à bégayer et il a bafouillé : «Euh… Victor Hugo, euh… Alexandre Dumas, euh…» La prof l'a interrompu en lui faisant remarquer qu'ils étaient morts depuis belle lurette et que pour les inviter ce serait, malgré toute sa bonne volonté, un peu compliqué. Hilarité dans la classe. Guillaume est devenu tout rouge et on ne l'a plus entendu jusqu'à la fin du cours.

J'ai acheté le bouquin et j'ai commencé à le lire hier soir, dans mon lit. Et c'était si génial que je n'ai pas pu m'arrêter. Pourtant, l'histoire est plutôt triste. Je ne sais pas si les autres vont aimer autant que moi. Anastasia m'a avoué qu'elle n'y comprenait rien. C'était hier, chez eux, pendant qu'on mangeait un cône à la pistache, installés sur la terrasse qui donne sur l'Orangerie. Ils habitent un appartement au dernier étage d'une résidence neuve, juste en face du parc. C'est contemporain, design, blanc, avec de larges baies vitrées, ça ne ressemble absolument pas à notre maison. Dimi m'a demandé si ça me plaisait et j'ai hésité une seconde avant de répondre oui. Je ne voulais pas le blesser, et puis au fond ça me plaît aussi. Il faut juste que je m'habitue aux murs nus, aux carrelages crème et aux chaises qui n'ont pas l'air de chaises.

Donc, c'est sur la terrasse qu'Anastasia m'a avoué en pleurant à demi qu'elle n'y arriverait jamais, à lire *Génie la folle*. J'ai eu beau lui dire que c'était archisimple, elle hochait la tête en silence avec un air désespéré. Et Dimi était aussi catastrophé qu'elle. C'est une première pour eux, un livre écrit en français. Par contre, ils ont lu *Anna Karénine* en russe. La chance !

Devant leurs mines abattues, je leur ai promis qu'on le lirait ensemble, page après page, et on s'y est mis tout de suite, sur la terrasse. J'ai lu d'une traite le premier chapitre, puis j'ai bu une gorgée d'eau et on a attendu quelques minutes avant de discuter. C'est drôle parce qu'ils ne sentent pas le texte de la même manière que moi : ils plaignent la petite fille qui n'a pas de père et qui est obligée de courir après sa mère que tout le monde surnomme Génie la folle. Moi, je la trouve si courageuse et si vivante que je n'ai pas envie de la plaindre !

Dimitri m'écoutait parler sans me quitter des yeux, et je me sentais rudement intelligente sous son regard bleu. Je crois que j'aurais pu continuer pendant des heures. Mais Anastasia s'est mise à bâiller et je me suis arrêtée net. Elle, elle n'aime pas trop lire. Elle s'est excusée en disant que, même écouter, ça la fatigue, qu'il faut faire un effort, et qu'elle déteste les efforts. J'ai rigolé, parce que moi, ce sont les maths qui me fatiguent. Alors, Dimi a eu un éclair de génie : il m'a proposé de m'aider. « Puisque ta sœur n'a pas le temps, a-t-il précisé, et tes parents non plus, et de toute façon avec les copains ça marche mieux. » Tout ça, d'un coup, avec juste une pointe d'accent. C'est fou, les progrès qu'il fait de jour en jour. Surtout depuis que nous parlons beaucoup, lui et moi.

Je ne me suis pas fait prier pour accepter. Car sans aide, je cours droit à la catastrophe. Et je n'ai pas du tout envie, surtout maintenant qu'Océane et moi ça s'arrange, de redoubler la dernière classe du collège. J'ai envie d'aller au lycée l'année prochaine. De retrouver David. Qu'est-ce que je raconte ? David n'est pas au lycée… David n'exi… mais chut.

Samedi 12 octobre

Génie la folle, David et la proposition de Dimitri sont entrés dans ma vie et je suis contente. D'autant plus qu'Océane semble me respecter à présent. Aujourd'hui, elle m'a même proposé de l'accompagner à la piscine. Sami ne pouvait pas, du coup elle s'est rabattue sur moi. Je dois avouer qu'elle a été exquise de bout en bout. Elle a même essayé de m'apprendre à plonger, mais je ne suis arrivée qu'à m'étaler platement dans l'eau et elle ne s'est pas moquée une seule fois. Non, charmante, adorable, idéale, la sœur rêvée. J'en étais si ébahie que je ne savais pas quoi lui dire, de peur de briser le charme. Alors, je l'ai branchée sur *Génie la folle*, qu'elle est en train de lire, et là, j'ai compris qu'on se ressemblait car elle adore cette histoire, elle aussi. Elle a même avoué qu'elle avait eu les larmes aux yeux. J'étais pétrifiée. Puis, brusquement, elle a lâché : «Mais tout ça c'est pas la vie ! Ce n'est que du roman ! Ça n'existe pas ! »

J'ai eu l'impression d'être trahie. Parce que moi, j'y crois, et je crois que c'est la vie, que la vie et le roman se rejoignent. Mais elle n'a pas voulu en démordre. Elle m'a lancé un regard de pitié, genre «pauvre petite, tu t'es fait avoir, moi je suis moins naïve, je reste sur mes gardes ; je lis et je jette, de peur que ça me bouleverse trop».

Oui, c'est ça : elle n'a pas été bouleversée, comme moi. Elle, le roman l'a atteinte à la surface, il n'est pas entré en elle. Moi, il continue de me parler, de me faire réfléchir, de me poser des questions.

À partir de là (on buvait un Coca au bar de la piscine), je me suis sentie à nouveau très seule. Seule avec Génie la folle et son histoire. Mais j'ai fait mine de rien. Elle a fini son verre et on est rentrées à la maison. Comme elle marchait plus vite que moi, je devais littéralement lui courir après. Mais au bout d'un moment, j'ai repris mon rythme, je ne pouvais de toute façon pas concurrencer ses longues jambes. J'aurais aimé qu'elle ralentisse, qu'on marche l'une à côté de l'autre, comme deux sœurs qui seraient amies, comme Dimi et Ana par exemple. Mais je crois qu'il ne faut pas trop lui en demander ! Déjà qu'elle m'avait fait la grâce de m'accorder deux heures dans son emploi du temps si chargé ! D'ailleurs, je parie que si Sami avait été disponible, elle n'aurait pas eu besoin de moi. J'ai joué les bouche-trous, quoi.

Je suis arrivée à la maison de mauvaise humeur. Sami attendait dans le salon, et dès qu'elle l'a aperçu, elle s'est élancée vers lui et ils se sont vite réfugiés dans la chambre d'Océane. Exactement comme si je n'existais pas. Sami a juste eu le temps de me faire un petit signe de la main et pfuit! ils ont disparu. J'ai eu envie de crier: «Bon débarras», mais je me suis maîtrisée. À cet instant, le téléphone a sonné, alors, sans réfléchir, j'ai lancé: «Ne te dérange pas, ça doit être David, il m'avait promis de m'appeler ce soir.» Elle s'est penchée à la rambarde de la mezzanine et a répondu: «Eh bien, ne reste pas au téléphone trop longtemps, je te donne dix minutes, car j'ai besoin de me connecter.»

Je l'ai rassurée en lui précisant que je n'en avais pas pour longtemps et que, si jamais la conversation devait durer, je le rappellerais sur mon portable. Elle m'a souri en disant «merci», et j'ai entendu claquer la porte de sa chambre. J'ai décroché le combiné, c'était Ludivine qui avait oublié de noter les devoirs d'allemand et m'appelait au secours. J'ai espéré de toutes mes forces qu'Océane ne bouge pas de sa chambre et je me suis dépêchée d'aller chercher ces foutus devoirs. Je pense qu'Océane ne s'est doutée de rien. Si elle savait, j'en mourrais...

Après, dans ma chambre, je n'ai pas arrêté de rêver à David. Je me suis allongée sur mon lit, juste en face de mon poster de la Bretagne. J'étais avec lui, main dans la main, on marchait entre les rochers, le soleil se couchait, il me parlait doucement. Je me suis bêtement endormie car c'est la voix d'Océane qui m'a réveillée, et elle n'avait rien d'agréable : « On mange, à table ! », et comme je ne répondais pas elle a fait irruption dans ma chambre en hurlant : « Qu'est-ce que tu as ? Tu es malade ? Tu dors à 7 heures du soir ? »

Je me suis redressée et j'étais si malheureuse de la voir devant moi, elle, au lieu de David, que je me suis mise à gueuler moi aussi. Je ne sais plus ce que je lui ai dit, mais ça ne devait pas être très tendre car elle est sortie en claquant la porte. Ma porte. Je l'ai entendue marmonner : « Soyez sympa avec les petites filles et elles vous crachent à la figure ! »

Je la déteste. Je la hais. J'étais si heureuse, en train de nager avec David dans une mer bleue comme l'été, un été qui serait éternel, plein de soleil et de parfums, dans l'odeur des pins et du sable. Et elle qui vient me réveiller en sursaut ! Pour qui se prend-elle à la fin ?

À table, elle ne m'a pas adressé la parole, sauf pour me demander le pain. Ma mère avait prévu d'aller au ciné avec une amie, elle a donc expédié le repas en un tournemain et j'étais plutôt soulagée. Les voir en face de moi m'horripilait tellement que j'aurais préféré manger seule dans ma chambre.

Ma mère ne m'a pas invitée à l'accompagner. (Papa sortait lui aussi, une réunion de club, et Océane avait des projets avec Sami, des projets d'internautes.) Elle s'est contentée de m'embrasser et de me souhaiter une bonne soirée. Le culot! Une bonne soirée! Alors qu'elle allait au ciné! Et que moi je restais à la maison! Évidemment, il y avait Océane et Sami dans la chambre du haut, mais ça comptait pour du beurre, j'étais aussi seule que si j'avais été seule à la maison.

Je me suis affalée devant la télé et j'ai zappé jusqu'à minuit. J'ai vu des bribes de téléfilm : le sempiternel téléfilm du samedi soir sur la Trois, des morceaux de *Qui veut gagner des millions* et des extraits d'un reportage sur l'amour à 15 ans. Plus exactement sur les filles qui deviennent mères à 15 ans. Je me suis imaginée maman dans un an, mais je n'y arrivais pas. La tête des parents! Et celle d'Océane! Elle me prendrait peut-être au sérieux. Mais bon, pour se promener main dans la main sur la plage, au coucher du soleil, un bébé ce n'est pas très pratique. Pour l'instant, je préfère me promener que pouponner. N'empêche, c'était impressionnant, ces filles de mon âge avec des gros ventres ou des nourrissons dans les bras.

À minuit, maman est rentrée, des cernes autour des yeux. Elle s'est affalée sur le canapé à mon côté et a soupiré : « Oh, ces copines, elles me tuent, surtout Jacquie. » J'ai cru comprendre que Jacquie, qui est une amie d'enfance de maman, est en train de divorcer au bout de vingt ans de mariage et que ça ne se passe pas très bien. Jacquie a une fille de mon âge, qui préfère vivre avec son père, ce qui n'a pas l'air de réjouir la mère. Mais enfin, elle a le droit de choisir, non ? Ma mère a encore soupiré que ce n'était pas si simple. Puis elle m'a embrassée en me disant qu'il était l'heure de me coucher. Bien sûr, dès que ça devient intéressant, il est l'heure de se coucher ! Il faudra que je demande à Céline pourquoi elle a décidé de vivre avec son père. À mon avis, c'est parce qu'il est plus cool. Je connais Jacquie, elle est plutôt pète-sec, à toujours avoir raison et à tout savoir sur tout. Comme le jour où elle a fait toute une histoire parce que Céline voulait boire de l'Ice tea, comme Océane et moi, et qu'elle, la mère, estimait que le thé glacé ça empêchait de dormir.

Finalement, il y a des jours où je suis contente d'avoir la mère que j'ai. Au moins, elle ne pense pas à divorcer. Elle me laisse boire de l'Ice tea, elle me donne de l'argent de poche, et elle ne s'intéresse pas de trop près à mes résultats scolaires. Pour la bonne raison qu'elle n'a pas le temps. J'aurais bien aimé lui parler de ces filles qui deviennent mères à mon âge, mais elle était si fatiguée que je me suis résignée à aller me coucher. Au lit, avant de m'endormir, j'ai rêvé à David : il m'expliquait les maths et tout devenait limpide.

Mercredi 16 octobre

Dimi a une patience d'ange. Je ne sais pas si je vais faire des progrès fulgurants, mais en tout cas on a passé un bon moment ensemble dans ma chambre à réviser les derniers cours de maths. Avec lui, c'était un peu comme dans mon rêve : les maths devenaient limpides. Je ne dis pas que j'adore, mais enfin ça me paraît moins chinois. Tout s'est donc bien passé sauf qu'au moment où Dimi s'apprêtait à partir, Océane a surgi devant nous comme un diable de sa boîte, et elle n'a pas pu s'empêcher de faire des réflexions douteuses, genre : «Tiens, tu as un prof particulier, maintenant ? »

Et moi qui croyais avoir su protéger mon secret ! Non, elle était déjà au courant, et je ne sais pas comment, car lorsque je lui ai posé la question, elle s'est contentée de rigoler : «Ma vieille, je sais tout, j'ai des espions partout. »

J'étais furieuse, mais j'ai joué l'indifférente. De quoi se mêle-t-elle ? Est-ce que je m'occupe de sa vie, moi ? Puis elle n'a pas cessé de minauder autour de Dimi en susurrant : «Dimi, quelle bonne idée de venir chez nous ! » et elle l'a même entraîné dans sa chambre sous prétexte de lui montrer son dernier jeu d'échecs sur ordinateur. Mais là, je me suis bien amusée car Dimi se moque éperdument des échecs et des ordinateurs. Seulement, comme il est sympa, il l'a écoutée jusqu'au bout en me jetant de temps en temps des regards qui en disaient long.

Océane a fini par lâcher Dimi, et je l'ai raccompagné sur le trottoir. Il m'a glissé : « Elle est marrante, ta sœur, elle voudrait que tout le monde aime ce qu'elle aime, elle ressemble à mon père qui ne comprend pas que les échecs ne m'intéressent pas. Ce qui est bien chez toi, Laura, c'est que tu ne me forces pas à aimer ce que tu aimes, par exemple *Génie la folle*... Mais j'adore quand tu lis à voix haute ! »

Puis il est parti et je me suis retrouvée toute seule sur le trottoir mouillé. Car il pleut des cordes depuis quelques jours, l'été indien semble bel et bien terminé. Dire qu'Agathe se baigne tous les jours dans le lagon ! On a reçu un mail où elle nous raconte la vie paradisiaque dans l'île, c'est presque trop beau pour être vrai, et j'ai l'impression qu'elle en rajoute pour nous rassurer. Il n'y a pas que les coraux et la mer dans la vie ! Ce qui est sûr, c'est qu'elle est seule là-bas, car j'ai croisé en ville avant-hier le garçon que j'avais rencontré plusieurs fois dans son studio l'année dernière, le fameux Gaétan. Donc, ma petite enquête aboutit à la conclusion qu'elle est partie seule. À moins qu'il y ait un autre copain dans sa vie, dont j'ignorerais tout... Elle était si secrète ! En tout cas, dans son mail, elle ne parle pas de ceux qu'elle a laissés derrière elle. Elle dit qu'elle est contente d'avoir commencé une nouvelle vie sous des cieux plus cléments. L'Alsace c'est loin des douceurs marines ! Moi aussi parfois je rêve d'aller ailleurs, avec David. Mais chut, c'est un secret.

Tout cela ne m'explique toujours pas pourquoi Agathe s'est exilée à l'autre bout du monde.

J'aimerais aussi savoir pourquoi mon autre sœur est si exécrable avec moi et si adorable avec les autres. Ce matin, au petit déjeuner, quand elle est entrée dans la cuisine et qu'elle m'a vue assise à la table, elle a sifflé entre ses dents : « Pousse-toi, t'es à ma place je te signale ! » Ce qui était vrai, mais je lui ai répondu qu'il n'y avait pas de place attitrée, et ça a encore dégénéré. Résultat : j'ai fini par me lever et elle était toute contente d'avoir gagné.

Heureusement, j'ai Ana et Dimi ! Quand je les regarde tous les deux, si gentils l'un envers l'autre, j'ai le cœur qui se serre. J'aimerais avoir Ana comme sœur.

On discuterait, on rigolerait, on aurait les mêmes secrets. Avec Océane, je n'ai que des ennuis, sauf les jours où mademoiselle se décide à être normale, comme le samedi de la piscine, mais c'est si rare que ce n'est même pas la peine d'en parler.

Grand branle-bas au collège. L'infirmière scolaire, Mme Dubois, en coordination avec notre prof de sciences, s'est mis en tête de nous ouvrir les yeux sur les réalités de l'amour. Enfin, c'est à peu près ça. Concrètement, ça signifie qu'une personne du planning familial viendra en classe et nous pourrons lui poser toutes les questions qui nous tiennent à cœur. Mme Dubois a bien précisé « toutes », sans restriction. Ce n'est pas maman qui sera chargée de l'animation mais une de ses collègues du planning. Ouf, ouf, ouf. Je préfère interroger quelqu'un que je ne connais pas. Mais je ne sais pas trop ce que je vais lui demander.

Bien sûr, cette venue suscite les passions. On ne parle plus que de ça. Depuis que je suis au collège, c'est la première fois qu'un intervenant extérieur est invité dans ma classe. C'est peut-être parce que nous avons changé d'infirmière... La nouvelle est beaucoup plus jeune et a l'air très dynamique. D'ailleurs, elle nous a avertis qu'après le planning, on aura droit à un exposé sur les drogues. Et la prof de SVT est tout à fait de son avis. Elles disent toutes les deux que le collège doit s'ouvrir sur les réalités du monde extérieur.

Je suis d'accord avec elles, mais pas Océane qui déclare que tout ça est inutile (du pipeau), juste destiné à divertir les gamins que nous sommes. Elle n'a besoin ni du planning ni de monsieur antidrogue, elle est bien assez grande pour se faire une opinion toute seule. Quel orgueil! Je le lui ai dit, et elle m'a jeté un de ses regards noirs qui me font froid dans la poitrine et qui, en général, n'annoncent rien de bon. En effet, dès que Sami a eu le dos tourné pour entrer dans sa classe, elle s'est pratiquement jetée sur moi – en plein couloir – et a sifflé que j'étais une petite niaise juste bonne à humilier les autres, par bêtise plus que par méchanceté d'ailleurs. Charmant, non? Heureusement que Dimi m'avait affirmé le contraire la veille : j'avais réussi à faire un exercice particulièrement coriace et il m'avait chaudement félicitée pour cette prouesse. Ma sœur, elle, aurait trouvé ça normal, vu qu'elle réussit tout parfaitement, naturellement et sans effort. Même en amour. Sami ne la connaît pas comme moi je la connais. Il croit qu'elle est gentille et douce, le pauvre, il ne se rend pas compte qu'il a affaire à une vraie garce. Il aurait mieux fait de me choisir, moi. Mais l'aurais-je voulu? Il est mille fois moins beau que mon David!

Après notre altercation dans les couloirs, qui n'est pas passée inaperçue, on avait maths. J'étais très tendue car le prof devait nous rendre les interros de la semaine dernière et j'avais un drôle de pressentiment.

Le prof a commencé à distribuer les devoirs. Océane a été gratifiée d'un 19 sur 20 et, pour une fois, elle a eu un rival en la personne de Dimi qui m'a chuchoté : « Oh, les notes, c'est pas si important... » Ce qui m'a fait chaud au cœur, vu que j'ai eu droit à un 9. Océane n'a pas manqué de souligner qu'au bout d'un effort surhumain j'atteindrai sûrement la moyenne. Elle a ajouté, en baissant la voix : « Tu devrais te faire aider par ton David, peut-être qu'il serait plus efficace que Dimi... »

Je me suis mordu les lèvres et je lui ai tourné le dos. Que pouvais-je répondre ? Du coup, je ne lui ai plus adressé la parole jusqu'à 17 heures, mais j'ai bien été forcée de l'attendre pour rentrer à la maison. C'est comme ça, on fait le chemin ensemble. Afin de pouvoir se jeter des gentillesses à la figure sans que personne les entende. Hier soir, elle m'a tout de suite branchée sur Dimi et les cours qu'il me donne. Brusquement, alors qu'on marchait côte à côte, elle s'est arrêtée sur le trottoir et m'a souri avant de me demander si David était au courant de mes petits apartés avec Dimitri. J'ai continué à avancer comme si de rien n'était, mais elle n'a pas cessé de me harceler sur le sujet. Alors, j'ai laissé tomber négligemment que David était intelligent et sensible et tout à fait capable de faire la différence entre l'amour et l'amitié. Dimi est un copain et David, eh bien, c'est autre chose. C'est plus qu'un copain. J'ai ajouté que je n'avais pas voulu de David comme prof et que Dimi me convenait parfaitement. Et puis de toute façon, ai-je conclu, il n'a pas le temps, il est en terminale et comme il cumule les cours et le tennis, il est très occupé. (Je me suis rappelé le reportage sur sport-études que j'avais lu dans un magazine.)

Océane m'a lancé un drôle de regard avant d'accélérer le pas. Et moi, pour une fois, je ne lui ai pas couru après comme un petit chien, non, au contraire, j'ai ralenti et quand je suis arrivée à la maison elle était déjà dans sa chambre. J'ai pris la dernière tablette de chocolat dans le placard et j'ai disparu moi aussi dans mon antre. Chacune chez soi.

Une bonne surprise m'attendait sur mon bureau : une lettre d'Agathe. Je me suis dit que j'avais quand même une vraie sœur. Si seulement c'était elle qui était restée à Strasbourg ! Je pourrais tout lui confier, pour David, elle comprendrait. Mais je n'ai que ses lettres, pour l'instant, preuve qu'elle ne m'oublie pas, contrairement au dicton : « Loin des yeux loin du cœur. »

Agathe me raconte qu'elle travaille à présent en nurserie, avec des nouveau-nés qu'elle lave et habille tous les matins avant de les amener à leurs mères. Un boulot agréable bien que ça l'oblige à se lever de bonne heure, 6 heures, pour être prête à démarrer à 6 h 30. Quelle horreur ! Et moi qui ai un mal fou à me réveiller à 7 heures ! Mais elle prétend qu'elle est contente, que ce travail l'occupe beaucoup, qu'elle n'a plus le temps de se morfondre et de se plaindre. Et qu'elle se félicite chaque jour de son choix. Qu'à Strasbourg, la vie était devenue impossible. Que sur son île, elle réapprend à vivre sereinement au contact de la nature et de la mer. Qu'elle a besoin de ces petites choses authentiques, le bleu du ciel, le vol des oiseaux sauvages, la transparence de l'eau, la beauté des poissons multicolores. Et que finalement la vie est belle. Tout dépend du regard que l'on porte sur elle. Le sien, dit-elle, a changé depuis qu'elle vit là-bas, elle essaie de prendre ce qu'il y a de positif dans chaque situation, même dans les pires.

Cette lettre m'intrigue. Qu'a-t-elle donc connu de «pire»? Elle a toujours eu tout ce qu'elle voulait! À 18 ans, quand elle est entrée en fac, les parents lui ont acheté le studio de ses rêves, en plein centre, à deux pas de la cathédrale, rue des Frères, et dès qu'elle a obtenu son permis, elle a reçu une Clio neuve. Et voilà qu'elle insinue qu'elle a vécu des situations terribles. Que dissimule-t-elle, qu'elle n'ose m'écrire? Et moi qui l'ai toujours considérée comme un exemple! Je la croyais heureuse, équilibrée, calme. Et, si ça se trouve, elle faisait seulement semblant d'être bien dans sa peau pour ne pas nous inquiéter…

Elle cache quelque chose, j'en suis sûre à présent. D'ailleurs, j'ai l'impression que tous les gens ont des secrets. Comme moi et David par exemple. Ce matin (le samedi on termine à 11 heures et j'ai réussi à me débarrasser de ma sœur), je me promenais en ville, et j'ai eu envie de m'offrir un parfum. Je l'ai choisi en pensant à David. Je crois qu'il serait content, ça sent la tubéreuse et le musc. La vendeuse m'a demandé si c'était pour moi et, comme j'ai acquiescé, elle a voulu me conseiller une eau de toilette pour gamines ! Qui n'aurait pas plu à David, j'en suis convaincue.

Moi, je sais ce qui me convient. Il suffit que j'imagine David, et tout devient simple. Je n'ai donc pas suivi le conseil de cette stupide vendeuse, j'ai dépensé tout mon argent pour *Passion* (c'est le nom du parfum), et lundi j'en mettrai quelques gouttes sur mes poignets. Dimi et Ana seront subjugués !

Lundi 21 octobre

Passion a un succès fou. Presque toutes les filles de la classe m'ont demandé le nom de mon nouveau parfum, « très chic » selon Ludivine et Steph, « très branché » d'après d'autres, « sublime » pour les derniers. Ana, elle, ne s'est rendu compte de rien (elle n'a pas de nez cette fille), et Dimi, lui, a souri en disant qu'il n'aimait pas trop les parfums, trop artificiels à son goût. Ça prouve bien que ce n'est qu'un gamin. Papa a reniflé en supposant que j'avais chipé l'eau de toilette de maman, mais il n'a même pas attendu la réponse pour filer vers sa chère officine. Lui, il n'y a que ses potions qui l'intéressent. Quant à ma mère, quand elle rentre du boulot ces derniers temps, elle est si fatiguée qu'elle n'a plus goût à rien.

Hier, j'étais chez Dimi et Ana et j'ai terminé de lire *Génie la folle*. On était si émus tous les trois qu'on avait envie de pleurer. Ana avait les larmes aux yeux et la voix de Dimi a tremblé lorsqu'il a déclaré : « C'est vraiment beau, presque aussi bien que les auteurs russes ! » Puis il s'est mis à rire pour cacher son émotion. Ana m'a sauté au cou pour me remercier, car elle prétend que sans moi elle ne serait pas arrivée au bout du bouquin.

Au moment où je m'apprêtais à partir, Dimi m'a tendu un livre : *Anna Karénine* de Tolstoï, pas en version originale bien sûr, mais traduit en français. Je l'ai feuilleté, je crois que je vais adorer. C'est l'histoire d'un coup de foudre. L'amour, ça commence toujours par un coup de foudre. David, si je le rencontrais, je le reconnaîtrais à la seconde, je tomberais dans ses bras avant qu'il ait le temps de prononcer un mot. C'est pour ça que j'ai beaucoup de doutes au sujet de l'idylle Océane-Sami. Ils se connaissent depuis trop longtemps ! Ce n'est pas un coup de foudre. Moi, je veux un amour immense, comme le nom du parfum que je porte. *Passion*. Parce que moi, je veux tout. Une passion qui dure toute la vie, et plus que la vie, des enfants, un métier. Je ne sais pas encore lequel, mais David m'aidera à trouver. Dire que dans trois ans, en terminale, il faudra que je choisisse ! Je n'aime rien, que lire. Et lire à haute voix. Et écrire mon journal. Et rêver à David.

Les vacances de la Toussaint approchent. On est déjà à la moitié du premier trimestre et j'ai l'impression d'être rentrée de La Baule hier. Peut-être parce que cette année, ça file à toute allure… Dimi a accéléré la cadence pour ses leçons. Nous en sommes à deux heures de maths et une heure d'anglais par semaine. (Il m'aide aussi en anglais depuis ma dernière note, si désastreuse que j'ai du mal à l'écrire.) J'adore travailler avec Dimi. Les maths commencent à me sembler moins chinois et l'anglais, dans sa bouche, est une langue délicieuse. On aurait presque envie de la manger. D'ailleurs, on mange beaucoup pendant qu'on travaille. Des Chamallows, et des Quality Street, et on préfère les mêmes : les mous au cœur de chocolat. Chaque fois que je réussis un exercice, j'y ai droit. C'est lui qui distribue. J'aime bien quand il me tend le bonbon, il a des yeux bleus si clairs…

La dame du planning familial est venue hier dans notre classe. On a noté nos questions sur des bouts de papier, puis on a écouté ses réponses. Je savais déjà tout, alors je me suis mise à griffonner sur ma feuille et Océane (qui justement hier était assise à côté de moi, ça ne lui était plus arrivé depuis longtemps) m'a demandé qui était ce garçon que je dessinais. J'ai répondu spontanément : «David, *of course.*» Elle a grimacé qu'il était plutôt mignon. Et qu'il ressemblait vachement à un garçon qu'elle avait déjà vu quelque part. J'ai haussé les épaules et j'ai fait mine de m'intéresser aux explications sur les préservatifs, très utiles paraît-il pour ne pas contracter le virus du sida, toujours mortel. Ça m'a fait froid dans le dos. Heureusement, après les questions techniques, elle est passée à des sujets plus sympas, du genre « qu'est-ce que l'amour, à quel âge peut-on aimer », etc. Elle nous a raconté qu'une de ses grands-mères s'était remariée pour la troisième fois à 80 ans passés. Bref, l'amour n'a pas d'âge. Ni de frontière. Ni même de sexe, puisqu'on peut aussi aimer quelqu'un du même sexe que soi. Des garçons se sont mis à ricaner, et la prof de SVT a dû exiger le silence. Moi, j'ai continué à dessiner en me disant que les garçons de 14 ans sont décidément stupides. Bon, Sami aussi a 14 ans, mais lui c'est une exception. Il a grandi plus vite à cause de ses parents divorcés, et du manque d'argent qui l'oblige à mettre les bouchées doubles. Il pense déjà au concours général ! Il dit qu'il n'a pas le choix, qu'il doit être meilleur que les autres, qu'il n'a pas le temps de perdre son temps. À mon avis, avant la terminale, il sera déjà devenu milliardaire grâce à ses talents d'internaute.

Dimi m'a répété ce matin, après la leçon d'anglais et avant qu'on attaque les maths, qu'il avait adoré nos séances de lecture. Que l'on sentait ma passion pour les livres et que grâce à moi il appréciait de plus en plus la langue française. J'étais tellement stupéfaite que je ne pouvais que le regarder, les yeux exorbités. Puis soudain, je me suis entendue répondre que l'on pouvait recommencer quand il voulait, que j'avais encore d'autres bons romans, entre autres *Pierre et Jean* de mon cher Maupassant et *Cent ans de solitude* d'un écrivain sud-américain que je viens de découvrir. Et c'est en parlant que je me suis rendu compte que Dimi avait raison, que moi aussi j'avais une passion. Une vraie passion.

Et je n'y avais encore jamais songé! Ça me semble maintenant évident : je travaillerai dans les livres, pour les livres, je ne sais pas encore comment, mais je verrai. Peut-être irai-je faire la lecture aux vieilles dames qui n'ont plus la force de lire toutes seules... En tout cas, je me consacrerai aux livres, d'une manière ou d'une autre. Et je serai heureuse ! Plus de maths, de SVT, de techno ! Plus de chiffres, de formules, d'équations. Que des mots, des images, du rêve. La vie, quoi.

J'étais si contente ce soir au dîner que maman m'a demandé ce qui m'arrivait. Je leur ai annoncé que j'avais enfin trouvé ma voie, et ma chère sœur s'est hâtée de tout gâcher en proclamant qu'avec les livres, sauf si je publiais un best-seller, je n'allais pas vivre grassement. J'ai rétorqué que l'argent n'était pas mon idéal et papa a cru bon de s'en mêler en déclarant que l'argent était bien utile, surtout de nos jours où les gens ont de plus en plus d'exigences. Il a même osé prétendre que l'argent rendait libre ! En conclusion, après un discours assez pompeux, il m'a exhortée à choisir un métier qui me permettra de vivre à l'aise. Pharmacienne, peut-être ? Je me suis tue, ils ne peuvent pas comprendre. Seul David pourrait comprendre.

J'aimerais bien en parler à Dimi. Pour avoir son avis.

Je vais l'appeler.

Le même soir, un peu plus tard

Je viens de raccrocher. Dimi et moi, on a discuté pendant plus d'une heure et on serait encore en train de papoter si Océane n'avait pas fait irruption dans ma chambre pour me dire de raccrocher, mademoiselle voulait se connecter. Je l'ai laissée poireauter encore une bonne dizaine de minutes avant de lâcher le téléphone. Je ne suis pas à ses ordres ! Elle n'a qu'à se faire installer une ligne per-sonnelle ! D'ailleurs, papa commence à y songer. Elle agace toute la famille avec sa passion. Moi au moins, j'ai une passion qui ne monopolise pas le téléphone. Elle ferait mieux de lire ! Ça la rendrait peut-être moins méchante. Dimi est de mon avis : il faut essayer, tant qu'à faire, de gagner sa vie en s'amusant. Faire la lecture, c'est amusant. Écrire son journal aussi. Sauf que je ne sais pas si on peut en vivre. Il faudrait que le monde entier le lise, sûrement. Que ce soit un best-seller, comme dit Océane. Et puis est-ce que j'aurais envie que mon journal soit publié, et que le monde entier apprenne que ma sœur me déteste ?

Peut-être que si Océane pouvait lire ce que j'écris, elle se mettrait à réfléchir… Peut-être qu'on pourrait en parler au lieu de se crier dessus…

Peut-être qu'on pourrait s'aimer… Au fait, oui, pourquoi est-ce qu'on ne pourrait pas s'aimer ?

Je rêve, elle ne m'aime pas. Pour elle, je serai toujours la nulle, la moche, la petite. Le ver de terre. Qui rampe par terre alors qu'elle occupe le firmament, en belle étoile qu'elle est.

Dimi m'a confié au téléphone qu'enfant, il voulait devenir pilote. Jusqu'au jour où il est monté en avion et où il a eu la peur de sa vie. Il était tellement terrorisé qu'il n'a pas pu toucher au plateau-repas ni même regarder le ciel par le hublot. « Je ne peux pas m'en empêcher, a-t-il avoué, je suis mort de trouille, et chaque fois que j'entre dans un avion je me dis que je n'en sortirai pas vivant, j'ai beau me raisonner, c'est plus fort que moi. Alors je crois que je vais plutôt choisir un métier qui se passe sur terre, "au ras des pâquerettes", c'est comme ça qu'on dit en français, non ? »

C'est à ce moment-là, pendant que j'étais en train de m'étouffer de rire, qu'Océane est entrée dans ma chambre, sans s'annoncer (mais elle a prétendu que si), et devant ma mine hilare, elle a lancé : « Ah, c'est David. Le merveilleux David. Celui qu'on ne voit jamais… Peut-être parce que tu as trop peur qu'on te le pique ? »

Mon rire s'est stoppé net. Je lui ai jeté un regard meurtrier et elle est sortie avec un sourire narquois. Comment peut-on être si jolie (même moi, je me rends compte qu'elle est plus que mignonne), et avoir l'âme si noire ?

Elle a failli me gâcher ma soirée. Seulement failli car Dimi s'est rendu compte, à l'autre bout du fil, que j'étais énervée et il m'a raconté la dernière blague russe. Longtemps après avoir raccroché, je riais encore.

Pourvu qu'Océane ne se mette pas en tête de vouloir faire la connaissance de David ! Je serais salement embêtée. Au fait, je devrais y songer, trouver une parade. Mais j'ai tant de choses qui m'occupent l'esprit en ce moment : Sami et Océane et leur amour tout neuf, Ana et Dimi, et ma chère grande sœur que je n'oublie pas. D'ailleurs, je vais de ce pas (c'est une façon de parler, en fait, je ne quitte pas mon bureau devant la fenêtre) lui écrire. Pour la consoler.

Sauf que je ne sais pas de quoi je dois la consoler.

Vendredi 25 octobre

Je n'en reviens pas. Qu'elle ait osé me faire ça!
À moi! J'en ai encore les mains qui tremblent. C'est
tout à l'heure, en rentrant du cinéma, que je m'en suis
aperçue. Pourtant tout s'était bien passé, elle avait été
presque sympa, on s'était partagé le gobelet de pop-
corn qu'on a croqué pendant tout le film (je suis tellement énervée que je ne me souviens plus du titre et
encore moins de l'histoire), et ensuite on est rentrées
en voiture, installées sur la banquette arrière comme
deux sœurs normales. Cinq minutes après, en me
lavant les mains dans le lavabo, j'ai découvert l'horreur:
Passion, mon parfum, que j'ai acheté avec mon argent
de poche (mais j'avais dit à Océane que c'était un
cadeau de David), complètement vide! Plus une goutte
dans le joli flacon rouge. J'étais si catastrophée que j'ai
mis dix secondes à reprendre mes esprits. Au même
moment, elle est arrivée dans la salle de bains, la mine
enfarinée, elle a même eu le culot de me sourire. Je lui
ai mis le flacon vide sous le nez et je lui ai demandé si
elle avait une idée de qui avait fait ça. Elle n'a pas
même essayé de nier. Non, elle a reconnu comme si la
chose allait de soi que c'était elle. Elle a déclaré que ce
parfum ne m'allait pas du tout, que c'était un truc pour
vieilles et qu'elle avait voulu me rendre service.

Elle a posé sa main sur mon bras et elle a continué, de sa voix calme qui m'horripilait: «Laura,
écoute-moi! Si j'ai fait ça, c'est pour que tu...»

Je ne lui ai pas laissé le temps d'achever sa phrase, je lui ai lancé le flacon à la figure et j'ai hurlé si fort que papa est accouru et nous a séparées avant que je l'extermine.

J'ai une sœur qui vide mon parfum dans le lavabo ! Pour me blesser. Pour m'humilier. Je me vengerai. Mais comment ? Elle n'a pas de parfum. Elle n'aime rien ni personne, à part Sami et son ordinateur.

Son ordinateur. Je tiens le bon bout. Mais si je le casse, les parents me priveront d'argent de poche pendant des années sous prétexte que je dois assumer mes actes. Elle seule a le droit de bousiller un parfum à 50 euros. Ils ont juste dit qu'ils ne voulaient pas se mêler de nos affaires. Une manière de s'en laver les mains ! Ils auraient dû prendre parti, pour moi, c'est moi la victime que je sache ! Par contre, si moi, je m'avise à toucher à un seul bouton de son cher ordinateur je risque de le payer cher.

Je n'ai pas du tout envie d'être punie. Il faut que je trouve autre chose, de plus secret. Que les parents ne pourront soupçonner. Une vengeance froide et efficace. Ce n'est pas très joli mais c'est juste, après ce qu'elle m'a fait. Mon cher *Passion*. Le premier cadeau de David, enfin, c'est ce qu'elle croit. Elle est jalouse, tout simplement. D'ailleurs, c'est ce que je lui ai crié en me jetant sur elle, je lui ai dit qu'elle était furieuse à cause de David qui est mille fois mieux que son Sami.

Je ne toucherai pas à son foutu ordinateur. Il ne reste que Sami. Sami est beaucoup trop bien pour cette peste, il mérite mieux qu'elle. Il mérite d'aimer une fille normale, pas une garce qui s'amuse à vider les parfums dans les lavabos.

Je crois que j'ai une idée.

Je crois que c'est une bonne idée.

Ce sera parfait.

Je tiens ma vengeance. Cher *Passion*, je vais te venger.

J'y vais, j'y cours, j'y vole.

La même nuit

J'en suis encore toute chancelante. Pour une journée, c'est une sacrée journée, je ne suis pas près de l'oublier. Il est tard, mais après ce que je viens d'apprendre, je n'ai pas envie de dormir. Récapitulons : après avoir trouvé la vengeance parfaite, j'ai voulu mettre mon projet à exécution. C'était relativement facile. Il suffisait de vérifier que la chambre d'Océane était libre. Elle l'était, puisque j'entendais ma sœur siffloter dans son bain. Je suis entrée dans sa chambre, sûre d'avoir raison. Je me suis installée devant son ordinateur. Je connaissais son code d'accès pour l'avoir vue le taper sur le clavier. Je n'avais plus qu'à écrire le message que j'avais déjà rédigé dans ma tête. Il était court, il disait : «Sami, j'ai bien réfléchi, je préfère que nous en restions là, tu n'es pas du tout le garçon de mes rêves, je n'ai jamais eu le moindre coup de foudre pour toi, alors vivons désormais chacun de notre côté, salut, Océane. PS : Évitemoi, c'est tout ce que je te demande, je n'ai plus envie de te parler. J'en aime un autre, et c'est pour la vie. »

Je me suis connectée sans difficulté. Je n'avais plus qu'à cliquer sur la case Envoi. C'est à ce moment-là que j'ai aperçu sur son bureau un carnet que je n'avais jamais vu. J'ai suspendu mon geste et je l'ai ouvert. (La curiosité est un bon défaut.)

C'était son journal secret, je l'ai compris au bout de trois lignes. J'étais si éberluée que je ne pensais même plus à envoyer mon message. J'ai commencé à lire, très vite. Il y avait peu de pages, vu qu'elle ne l'a entamé que depuis huit jours.

Arrivée au bout, j'ai refermé le carnet et je me suis sauvée comme une voleuse. Et me voici devant mon journal, espérant qu'il m'aidera à réaliser ce qui vient de se passer. J'ai l'impression d'avoir pris un grand coup sur la tête. Bien sûr, après ce que je venais de lire, je n'avais plus du tout envie d'envoyer cet horrible message. Je frémis à l'idée des dégâts que j'aurais causés. Je ne me le serais jamais pardonné !

Océane n'est pas mon ennemie, mais ma sœur. Elle m'aime. Elle me ressemble. Elle écrit. Elle ne sait pas parler. Me dire qu'elle m'aime, elle ne peut pas. Moi non plus, je ne peux pas. Et pourtant, je l'aime. Encore plus maintenant que j'ai lu (je n'aurais pas dû, un journal secret, c'est inviolable, mais je ne regrette rien) ce qu'elle pense de moi. Tous les mots sont gravés dans ma tête à l'encre rouge. Une encre qui ne s'effacera jamais, quoi qu'il arrive. Et les jours où elle m'énervera je me souviendrai de ce qu'elle a écrit dans son journal secret :

« Je souffre de lui faire de l'ombre, d'être toujours considérée comme la plus belle et la plus douée. Alors que ce n'est même pas vrai ! Laura est très mignonne, j'adorerais avoir ses grands yeux noirs si vivants, son sourire et ses dents si blanches qu'on dirait une pub pour dentifrice. Elle est en train de grandir, et un jour le petit canard se transformera en cygne, elle deviendra vraiment belle, elle a un charme fou qu'elle ne soupçonne même pas, avec sa fossette dans le menton et ses boucles brunes en folie. Bien sûr, elle n'est pas blonde et elle le regrette assez mais il n'y a pas que les blondes dans la vie ! J'aimerais lui dire tout ça, mais comment ? Ce n'est tout de même pas à moi, sa sœur, de lui dire qu'elle est irrésistible ! Dimi, Dimi, qu'est-ce que tu attends ? Je sais bien que tu es amoureux d'elle, et elle aussi, mais vous êtes tellement nouilles tous les deux que vous ne vous en rendez pas compte ! Je ne peux pas vous jeter dans les bras l'un de l'autre, ce n'est pas mon boulot !

Qu'est-ce qu'elle m'ennuie avec son David! Je n'y ai pas cru plus d'une seconde à celui-là, trop beau pour être vrai. Mais pour ne pas l'humilier, je n'ai rien dit. Et j'ai vidé ce foutu parfum qu'il ne lui a même pas offert, et pour cause! Je n'ai jamais vu un être virtuel vous faire des cadeaux! Bon, ça viendra peut-être dans le futur, mais pour l'instant c'est mal barré.

Je n'aurais pas dû, pour le parfum. Ça n'a servi qu'à la mettre en rage et, dans la salle de bains, je n'ai pas eu le temps de m'expliquer, lui avouer que je sais que David n'est qu'un produit issu de son imagination délirante. Et donc que le parfum (c'est mathématique) n'existe pas.

J'aurais aussi voulu lui dire qu'elle ferait mieux d'écrire, qu'elle pourrait coucher sur le papier tous les fantômes qui lui traversent la tête. Elle qui aime tant lire et qui cherche un métier dans les livres, en voici un qui lui conviendrait, mais je préfère qu'elle trouve toute seule. Je crois qu'il ne faut jamais trouver à la place des autres. D'ailleurs, elle ne me croirait pas.

Dur, dur, tout ça. Je suis triste, et Laura ressemble à un petit chat furieux qui se croit seul au monde. Alors qu'elle a une sœur à portée de main! Pourquoi est-ce qu'on n'est pas capables de se supporter, de rigoler ensemble, de faire des projets en commun? Moi, j'aimerais bien qu'on parte, par exemple l'été prochain, en montagne sans les parents, ce serait de vraies vacances, on camperait au bord des torrents et on escaladerait les glaciers. On, c'est-à-dire Laura, Dimi et Ana, Sami et moi, on ferait une sacrée bande. Mais je n'ose même pas lui en parler tellement j'ai peur qu'elle m'envoie sur les roses. Pourtant, j'ai l'impression qu'elle en a marre de La Baule…

Je sais : je suis au moins aussi responsable qu'elle dans ce qui nous arrive. J'ai un mal fou à exprimer mes sentiments, et quand j'ai envie de lui dire quelque chose de gentil c'est tout autre chose qui surgit de ma bouche. À croire que je ne sais prononcer que des horreurs ! Mais peut-être que si elle m'aidait un peu, j'y parviendrais… Il y a des jours où elle est si lointaine, si glaciale, que j'en ai le souffle coupé.

J'espère, en tout cas, qu'elle finira par abandonner son David, et qu'elle s'apercevra que Dimi, lui, existe, et qu'en plus il est tout à fait son genre : blond, mince, sensible, sympa, généreux, et fort en maths. Décidément, son amour idiot et impossible la rend aveugle et sourde ! Dimi, par pitié, ouvre-lui les yeux et débouche-lui les oreilles ! Qu'elle se mette à voir et à entendre ! Et dire, c'est vraiment trop drôle, qu'un jour je l'ai surprise en train de dessiner Dimi sur un bout de feuille, en classe, et quand je lui ai demandé qui c'était, elle a répondu innocemment : « David. » Je crois que c'est à ce moment-là que j'ai eu la certitude qu'elle avait tout inventé.

Cher journal, je te quitte pour aujourd'hui. Je vais prendre mon bain, avec ma joue qui cuit (elle n'y est pas allée de main morte) et mon moral à zéro. En plus, j'ai l'impression qu'elle doit être en train de mijoter une vengeance exemplaire. Je crois que je vais rester dans mon bain jusqu'à la fin des temps!»

Je ne suis pas fière de moi. Quand je pense au coup tordu que je préparais! Je suis affreuse, horrible, je suis un monstre, il n'y a pas d'autre mot. Elle n'est pas un ange, mais moi, je suis un monstre. J'ai honte. Un geste de plus et j'envoyais ce mail de malheur. Je dois être un peu folle parfois.

Océane a raison, écrire me fait du bien. Sans mon journal, je deviendrais vraiment folle. Quant à Dimi, j'avoue qu'à cause de David, j'ai oublié de me rendre compte qu'il me plaît beaucoup. Vraiment beaucoup. Et puis je crois que je ne lui suis pas indifférente...

Demain, je parlerai à Océane. J'ignore ce que je lui dirai, j'ignore si j'oserai lui avouer que j'ai lu son journal, mais je tenterai une approche. Et je suis presque sûre qu'elle m'écoutera.

Je frémis à l'idée que sans son journal secret j'aurais pu vivre loin d'elle encore des années, toute la vie si ça se trouve. L'horreur!

Les solutions sont toujours plus simples qu'on ne croit.

Je n'ai pas pu parler à Océane alors je lui ai écrit. J'ai glissé ce soir la lettre sous la porte de sa chambre. Elle était branchée sur Internet, elle n'a rien entendu, mais tout à l'heure elle découvrira l'enveloppe. J'imagine sa tête lorsqu'elle lira mon message. De paix. Je lui ai tout raconté, finalement, c'était la chose la plus simple. J'en ai marre des mensonges, des dissimulations, des faux-semblants. Alors, j'ai tout déballé sur papier. Espérons qu'elle comprenne! Mais quelque chose me dit que mes mots réussiront à la toucher. Elle est si sensible! Normal, c'est ma sœur! Moi, en écrivant, je pleurais. Je ne pouvais plus me retenir, et mes larmes m'ont fait autant de bien que la plume qui glissait sur le papier. Finalement, les larmes et l'encre, ça va bien ensemble.

Quelle sera sa réaction? C'est étrange, mais je n'ai pas peur, je me sens calme, apaisée, sereine. Cool quoi. Sans impatience, sans colère, sans amertume. Je me suis libérée d'un grand poids. La vie me semble tout à coup immense, légère et pleine d'imagination. David n'existe pas, mais Dimi, lui, est bien vivant. Je ne sais pas si je l'aime, mais je sais que je suis bien avec lui. Ce n'est pas un coup de foudre, mais il doit y avoir différentes manières d'aimer:

Sami et Océane se connaissent depuis la maternelle ; papa et maman se sont mariés une première fois, ont divorcé un an après la naissance d'Agathe, puis se sont remariés quelques semaines avant que je vienne au monde ; mon oncle et sa compagne vivent ensemble depuis vingt ans, ont deux enfants, mais ne songent pas à, comme déclare papa, « régulariser leur union ».

Peut-être que j'aime Dimi...

J'entends le pas d'Océane dans le couloir. Aïe ! Elle s'arrête devant ma porte. Elle toque. Je vais lui dire d'entrer. J'ai peur, je suis contente, je...

Dimanche 27 octobre

Hier soir, Océane n'a pas parlé de la lettre et je préfère car j'aurais été très gênée. Non, elle m'a simplement proposé d'aller au ciné avec elle aujourd'hui. « Et ensuite on ira boire un pot toutes les deux », a-t-elle ajouté en souriant. J'ai répondu que c'était une bonne idée. Puis, on a parlé des profs, et elle m'a répété qu'elle était contente de mes progrès en maths. Elle a ri : « Avec un prof comme Dimi tu n'as pas de soucis à te faire. En plus, il est mignon, ce qui ne gâte rien. » J'ai rougi, je me suis mise à rire et on a gloussé ensemble pendant un moment. C'était super. Puis, elle a repris : « Ce n'est pas tout, mais il faut encore que j'aille envoyer un petit bonjour à cette pauvre Agathe qui se morfond dans son paradis, je te laisse, ah, ces grandes sœurs, si la petite dernière n'était pas là, qu'est-ce qu'elles deviendraient!»

Je n'ai pas pu lui donner tort. J'ai besoin d'elle. Et elle de moi, apparemment.

Avec tout ça, j'ai complètement oublié cette pauvre Pauline. Je lui écris tout de suite pour lui apprendre l'existence de Dimi. Heureusement que je ne lui ai jamais parlé de David! D'ailleurs, il est mille fois moins bien que Dimi! Moins beau, moins intelligent, moins sensible, moins amusant, moins tout. Et j'adore que Dimi soit russe.

Pas de doute, je suis amoureuse.

Et mieux que tout, j'ai une sœur. Enfin!

Lundi 28 octobre, vacances

J'ignore si Dimi est l'homme de ma vie, mais je sais que j'ai deux sœurs et pour toujours. Maman a raison quand elle dit que des sœurs, ça ne se perd jamais, contrairement aux amis que les circonstances et les hasards de l'existence peuvent emporter au loin et ne jamais ramener.

Agathe a répondu à ma dernière lettre où je lui racontais mes petites histoires, comme je te les raconte à toi, journal, mais en plus court. Elle m'écrit qu'elle a été bouleversée par mes doutes, mes chagrins, mes espoirs. Et, du coup, elle m'a enfin avoué la vérité !

Agathe, l'année dernière, à Strasbourg, a rencontré celui qu'elle croyait être l'homme de sa vie. Un coup de foudre qui a duré six mois. Six mois de bonheur idyllique. Puis, un jour, celui qu'elle aimait lui a annoncé qu'il s'était trompé et qu'il était amoureux d'une autre. Qui était la meilleure amie d'Agathe. L'horreur. Même si je n'ai jamais vécu une telle situation, j'imagine combien Agathe a souffert.

Elle m'écrit :
« J'étais pétrifiée, j'avais la sensation de ne plus exister, d'être rien, personne. Et puis j'ai décidé de partir, pour ne plus risquer de les rencontrer au détour d'une rue, d'un couloir, et j'ai choisi d'aller le plus loin possible. Là où justement ils ne viendraient pas me narguer de leur bonheur tout neuf. J'ai perdu à la fois l'amour et l'amitié, ça fait beaucoup d'un seul coup. Mais on s'en remet ! Depuis que je vis loin d'eux, je pense que la vie me donnera d'autres rencontres, j'ai décidé de lui faire confiance, elle a tellement d'imagination, bien plus que nous pauvres humains ! Et ça marche, car de jour en jour je vais mieux, j'ouvre sur la vie des yeux pleins de curiosité et c'est là l'essentiel : être capable de tirer une leçon de ce qui vous arrive, sans vous laisser enfermer dans votre douleur, res-

ter debout et se dire que le meilleur viendra. Après la pluie, le beau temps. Et quand on y croit, la roue finit toujours par tourner. »

Quand je pense que je ne me suis doutée de rien ! Que je n'ai rien vu, rien entendu, rien senti. Elle souffrait, à côté de moi, elle pleurait en silence, et je n'ai même pas été là pour la consoler. Je m'en veux. Mais il faut reconnaître qu'elle a bien caché sa souffrance. « Question de dignité, écrit-elle. Je n'ai pas voulu vous accabler de mes problèmes, c'était à moi et à moi seule de les résoudre. »

Elle a certainement raison, de toute façon elle était seule à savoir ce qui était bon pour elle. Moi, si ça m'arrivait, je me demande quelle serait ma réaction. Est-ce que je m'effondrerais ou est-ce que je riposterais ? Cette amie, enfin cette soi-disant amie, eh bien, je crois que je commencerais à lui cracher mon mépris à la figure, en lui plantant mes ongles dans la peau. Même si ça ne résout rien, ça fait du bien. Je sais qu'il faudrait que j'apprenne à résoudre mes problèmes autrement, mais si une fille s'avise de toucher à un seul cheveu de Dimi, je lui arrache les cheveux un à un !

Dimi a raison de dire que je suis passionnée. Lui est plutôt calme. Au fond, il ressemble un peu à Sami, ils réfléchissent avant d'agir, ils ne s'emportent pas, ils restent zen en toute occasion, même quand les profs exagèrent, comme vendredi dernier quand M. Guillet a voulu qu'on fasse la course d'orientation alors qu'il pleuvait des cordes. Pendant qu'on se préparait en râlant, Dimi est allé parler au prof et il ne l'a pas lâché jusqu'à ce que M. Guillet annule la course. Du coup, Dimi est devenu extrêmement populaire et je parie qu'au prochain problème on fera appel à lui plutôt qu'aux deux délégués de classe qui n'osent ouvrir la bouche de peur d'être mal vus. Dimi ne craint personne. Même pas sa sœur qui, finalement, sous son apparence de petite fille timide, se révèle plutôt tyrannique. Elle voit d'un mauvais œil les cours que me donne Dimi ! Je ne lui en veux pas, Dimi est son frère, son jumeau, et toc, je débarque et il passe des heures entières seul avec moi. Il y a de quoi la rendre jalouse et malheureuse ! Je l'aime bien, Anastasia, et je ne veux pas qu'elle souffre. Il faut que je parvienne à lui expliquer qu'elle n'a pas perdu son frère, qu'elle a trouvé une amie, presque une sœur, qu'elle est gagnante dans l'histoire. Nous sommes tous gagnants. Océane, Sami, Dimi, Ana et moi. Il n'y a que David qui soit perdant !

Vendredi 1ᵉʳ novembre

Aujourd'hui, c'est la Toussaint qui devrait être le jour le plus triste de l'année. Moi, je suis heureuse. Je ris, je chante, je m'éclate. Du coup, papa perd un peu de son air morose et maman sourit en me disant que je lui rappelle son adolescence. J'ai cru comprendre qu'elle avait un petit copain qu'elle a rencontré en classe de 3e, et qui est resté un ami puisqu'il s'agit de mon parrain Martial. Là aussi, je suis tombée des nues. Je vais de surprise en découverte. Mon parrain, l'ex-petit ami de ma mère ! J'y crois pas !

Dans deux minutes, j'ai rendez-vous avec Dimi et Ana. Sami et Océane nous rejoindront. Nous avons prévu un tour en VTT le long de l'Ill, tous ensemble. Dimi et Ana n'ont pas de tombes à visiter, Sami non plus. Et moi, j'ai eu le courage de dire à mes parents que poser un pot de fleurs sur le monument de mes grands-parents que je n'ai jamais connus ne m'inté-ressait pas. Que je n'ai pas envie de faire semblant uniquement parce que je n'ai pas le courage de dire non. J'ai envie de savoir dire non. Comme quand j'étais petite et que je tapais du pied en hurlant : « Moi veux pas. » Maintenant, je ne tape plus du pied, mais j'ose exprimer mes opinions. Ils n'ont pas insisté, surtout qu'Océane a renchéri derrière moi que c'était débile de se rendre au cimetière le 1er novembre, comme tout le monde.

Donc, ils iront déposer des chrysanthèmes sur le marbre noir et à nous la liberté !

Je n'ai pas racheté de parfum. Peut-être que pour mes 15 ans, l'année prochaine, c'est-à-dire dans trois mois, Dimi aura la bonne idée de m'en offrir un? Il ne choisira pas *Passion*, j'en suis sûre. Océane avait raison, à mon âge on ne porte pas ce genre de parfum. À mon âge, on choisit des eaux légères, légères, qui permettent de s'envoler…

Jeudi 2 janvier

J'ai 15 ans depuis trois heures. Je suis seule dans ma chambre, il est tard, presque minuit, et j'essaie de faire le tri dans tout ce que j'ai vécu ces derniers mois, depuis que j'ai arrêté d'écrire mon journal. Je me demande bien pourquoi! C'est maintenant, sous la lumière de ma lampe, dans le silence, que je me rends compte à quel point il m'a manqué.

Agathe n'est pas venue pour les fêtes de Noël, mais elle a envoyé par avion des friandises de son île. Je crois qu'elle va mieux, le ton de ses lettres est moins amer, plus vivant, et après avoir lu la dernière je me suis mise à rire : elle parle d'un certain Jo qui est interne dans le service où elle travaille et je ne serais pas étonnée si elle annonçait dans quelques semaines qu'elle est amoureuse.

Nous, nous avons passé les fêtes de Nouvel An à La Bresse dans un chalet que le père de Dimi et Ana a loué pour l'occasion. Et Dimi a eu la bonne idée de lui suggérer de nous inviter. C'était le meilleur Nouvel An de ma vie ! Il y avait Dimi et sa sœur, leur père, Sami, sa mère, et nous quatre. La mère de Sami nous a concocté un réveillon inoubliable, à base de salades aux herbes et aux épices, de moussaka, de galettes, de gâteaux au miel et aux amandes. On a dansé toute la nuit devant la cheminée où crépitaient d'énormes bûches. Dehors la neige s'était mise à tomber, et à minuit on est sortis sur le pas de la porte pour admirer les flocons. C'est dans les flocons qu'on s'est embrassés pour la première fois de l'année. Océane m'a murmuré à l'oreille : « Bonne année, grande sœur », et Dimi, une seconde plus tard, m'a chuchoté : « J'espère que nous passerons encore des milliers d'autres Nouvel An tous les deux », et j'ai eu envie de pleurer tellement j'étais heureuse.

On est rentrés le 1er janvier en début d'après-midi parce qu'il a fallu nettoyer le chalet avant de rendre les clefs, et aujourd'hui, à 14 heures, la fête a recommencé. Parce que j'ai eu l'excellente idée de naître un 2 janvier. On naît quand on peut ! Évidemment, Sami, Océane, Dimi et Ana étaient là, ainsi que Pauline qui est en vacances à Strasbourg chez ses grands-parents jusqu'à dimanche. J'ai été contente de la retrouver. Elle a drôlement changé, elle a pris au moins 10 centimètres, c'est une vraie perche, plus grande qu'Océane et aussi fine, alors qu'au mois de juin dernier, je l'ai connue plutôt boulotte. Comme quoi tout peut évoluer (même moi avec mon mètre 60, je peux encore grandir, et si je ne grandis pas, tant pis, de toute façon on me prendra comme je suis).

J'ai soufflé mes quinze bougies sous les «happy birthday to you», et c'était surtout la voix de Dimi que j'entendais, qui dépassait celles des autres. Après, j'ai ouvert les cadeaux et là, j'ai eu le fou rire de ma vie. Pauline m'a offert un parfum! Qui s'appelle *Intuition*. Océane et moi, on s'est regardées, un tiers de seconde, et on a eu la même réaction, on s'est écroulées de rire sous les yeux ébahis des autres. Quand j'ai retrouvé mon souffle, j'ai balbutié: «On ne peut pas vous expliquer...» et le fou rire m'a reprise. Personne n'a rien compris, sauf Océane évidemment. C'est notre secret. Même Dimi à qui je dis presque tout n'est pas au courant. Ça ne regarde personne. C'est une histoire entre sœurs. Une histoire d'amour en quelque sorte. Et qui finit bien puisqu'elle ne finira jamais.

J'aime beaucoup le cadeau de Dimi: *Crime et châtiment* en russe et en deux tomes. Dimi a décidé de m'apprendre sa langue. Alors, dès demain, je me mets à l'alphabet cyrillique. Je suis sûre que je vais adorer. Et comme ça, je pourrai lire dans le texte original tous les grands auteurs russes, Dostoïevski, Tolstoï, Tchekhov et les autres. Dimi prétend que ce sont des écrivains majeurs. J'ai rétorqué qu'ils n'étaient sûrement pas plus importants que Maupassant – que j'adore toujours – mais il a secoué la tête d'un air entendu. Parfois il m'énerve ! (Mais, à mon avis, ça doit être réciproque.)

Je suis sûre que Dimi est aussi amoureux de moi que je le suis de lui. (La preuve, c'est qu'il veut m'apprendre sa langue, c'est un signe qui ne trompe pas.) Pourtant, il ne m'a pas encore embrassée, vraiment, je veux dire. Je crois qu'il est timide, au fond, qu'il n'ose pas... Peut-être qu'il s'imagine que je le repousserais... Dans ce cas, il se trompe, il se trompe, il se trompe. Peut-être qu'en Russie, les garçons n'embrassent pas les filles... Ce serait bien ma chance ! Il va falloir que je demande à Agathe si elle a une réponse à cette question. Mais, à mon avis, dans tous les pays du monde, les amoureux s'embrassent « sur les bancs publics », comme chante Brassens que ma mère écoute dans la voiture. (Et nous aussi, par la même occasion, et c'est très agréable.)

J'ai aussi appris quelque chose de pas ordinaire : Dimi et sa sœur sont, par leur mère, des descendants des tsars de Russie. Des cousins lointains, en quelque sorte. Ça ne m'étonne pas trop finalement, j'ai toujours pensé qu'il ressemblait à un prince. Un prince moderne mais un prince quand même, qui porte des jeans et écoute du rap. Et qui n'est pas tout à fait comme tout le monde, et j'aime ça. J'aime aussi qu'il ne se vante pas de ses origines... Il dit qu'il n'y a pas de quoi et que personne n'est responsable ni de l'endroit ni de la famille où il naît. Je sais que c'est ridicule, mais parfois je ne peux m'empêcher de le regarder et de penser que j'aime un prince. Un prince beau, sensible et intelligent. J'ai une chance folle. Je frémis à l'idée qu'ils auraient pu rester à Saint-Pétersbourg, loin de moi... Et je ne les aurais jamais connus, et ma vie aurait été triste... ou pas, on ne peut pas savoir.

Je n'ai pas raconté le plus drôle de ce début d'année. Les bons petits plats de la mère de Sami ont fait beaucoup d'effet à Fedor, le père de Dimi et d'Ana. Car ils ont dansé et parlé toute la nuit de la Saint-Sylvestre, et cet après-midi, Dimi m'a confié qu'il a surpris son père en train de téléphoner à Théodora (c'est la mère de Sami) pour l'inviter à dîner demain soir. Il a rigolé en déclarant : « C'est l'Orient et l'Occident qui se rencontrent. » Il avait l'air plutôt content. J'ai souri en me disant que nous allions former une super grande famille.

Journal Secret

6554

Composition Chesteroc International Graphics
Achevé d'imprimer en France (Manchecourt)
par Maury-Eurolivres
le 17 mars 2003.
Loi n° 49-956 du 16 juillet 1949
sur les publications destinées à la jeunesse.
Dépôt légal mars 2003. ISBN 2-290-32881-2

Éditions J'ai lu
84, rue de Grenelle, 75007 Paris
Diffusion France et étranger: Flammarion